但是天下沒有不散的筵席，如今因勢所趨，小說族必須順勢而為，在此向您暫時說聲再會。

懷抱滿心的離情，對於所有讀者這十四年來所給予小說族的愛護與支持，千言萬語最後也只能化為一句感謝。由衷地感謝各位！

希望在未來，小說族雜誌會像蛻變的蝶繭一般，化為蝴蝶，重新展翅，再伴長久愛護我們的千萬讀友，飛翔在小說的天空裡。

期待和您重逢的那一天！

小說族編輯群　敬上

新人賞活動：請上http://www.sitak.com.tw/fsm/newstart/newstart.htm

訂戶查詢相關辦法：

請來電　讀者服務部劉小姐：(02)2791-1197轉分機258

或來信　讀者服務部信箱：readers@sitak.com.tw

參選具備資料

1.作者500字個人簡介，請上小說族網站下載表格，或參照本書P284-285。

2.文章1000字大綱。

3.參選小說（手寫稿及電子稿皆接受）。

4.如需退稿，請附上回郵信封及郵資。

參選辦法

1.即日起至2003年2月28日止，以郵戳為憑。（不受暫時停刊之影響）

一律採「通訊報名」。備齊參選文件寄至

台北市內湖區114新明路174巷15號10樓

「希代書版集團　小說族新人賞評選組　收」

2.獲選名單將於2003年3月30日公佈於希代書版集團網站。

3.未入選者恕不再另行通知，如需退件，請自備信封及回郵。

獲選獎勵

《明日之星新人賞》共計三名。

可獲得希代書版集團作家新人合約一紙，可享量身訂做之完整出版企劃，立即躍升作家之林。

入選作品將於2003年出版發行。

《重點書系新人賞》共計十名。

入選文章將收錄於希代書版集團出版之新書系中，成為駐站作家，享有豐厚稿酬（非賣斷文章，作者仍享有著作權。），並於「小說族雜誌」開闢作者專區。

「小說族雜誌新人賞」

喜歡山口智子和木村拓哉的「長假」？那是日本的。
喜歡全智賢和車太炫的「我的野蠻女友」？那是韓國的。
喜歡古靈精怪的「艾蜜莉的異想世界」？那是法國的。
喜歡梅格萊恩和湯姆漢克的「西雅圖夜未眠」？那是好萊塢的。
能描寫台灣新世代愛情故事，
不只有痞子蔡和藤井樹，
你　也可以。

希代書版集團暨小說族雜誌，
為你量身訂做作家合約，
想成為文壇新秀，不再找不到管道。
小說族雜誌助你輕鬆一圓作家夢

評選方向

參選文章必須為小說體。

重點書系組：15000-20000字，描寫愛情、親情等動人小說。

明日之星組：45000-60000字，以愛情為主題的新世代小說。

參選資格

個人原創作品，未曾公開於報紙、雜誌、書籍等出版刊物發表過，無版權爭議之華文著作，即可參選。（曾在個人網站、文學網站、BBS上刊登過則不在此限，歡迎參選。）

Touch 小說趣 徵文中

沉浸在午后暖暖的陽光下
一杯香醇的卡布基諾
陪伴著你探索那塊心靈的禁地
用文字touch你的感官
讓你全身的毛孔因此而綻放
用筆觸touch你的靈魂
讓深埋在你內心深處的精靈就此釋放
在這裡
讓戴著無限面具的你
盡情奔放
異想世界。

Touch 小說趣系列

一網打盡　動人小說

編織夢想・品味趣緻・生活寫意

不在乎文以載道　只在意生命態度的經營
在無限寬廣的心靈角落裡　浪漫飛行
Touch Your Real Life.

主題：不拘。
字數：5～6萬字爲佳，版稅從優！（必須爲未簽約之自由稿件。）
※投稿請寄：114台北市內湖區新明路174巷15號10樓
請mail至：touch@sitak.com.tw　Touch小說趣

Touch 小說趣強打

讓您愛不釋手的系列佳作！

Touch 小說趣系列 001

戀愛季節

Touch 小說趣系列 002

惡女

Touch 小說趣系列 003

滄桑在蘭桂坊的愛情

Touch 小說趣系列 004

莫 咖啡

Touch 小說趣系列 005

紫色角落

Touch 小說趣系列 006

誰，才是第三者

Touch 小說趣系列 007

戀人啊

Touch 小說趣系列 008

愛情的左臉

Touch 小說趣系列 009

發生在星期二的兩億愛情

Touch 小說趣系列 010

老處女的存在價值

Touch 小說趣系列 011

紅髮夾

Touch 小說趣系列 012

愛情惡行惡狀

Touch 小說趣系列 013

九號迴廊

Touch 小說趣系列 014

愛我的人舉起右手

Touch 小說趣系列 015

迷路的聖誕禮物

希代書版集團
小說族雜誌社
行政院新聞局出版事業登記證
局版台誌第6523號
中華郵政台字第2734號
執照登記為雜誌交寄

封面設計：紅膠囊創意股份有限公司

星星的故事

FOCUS小說／愛情的理想與現實

兼任主編：賴宛靖
責任編輯：劉孔宜
編輯：吳筱婷、陳慧琳
視覺構成：紅膠囊創意股份有限公司
廣告總代理：信俐有限公司于台嬰、劉如香
地址：台北市敦化北路165巷19號1樓
電話：(02)2546-2051、2791-6505

社址：台北市民生東路三段113巷15號10樓
連絡地址：台北市內湖區新明路174巷15號10樓
電話：(02)27911197，27918621
傳真：(02)27955824
訂戶專線：(02)27911197#238、283
讀者服務部：(02)27911197#258
經銷商：雨晨實業股份有限公司

作家鮮活區

馬來西亞大眾書局
(Popular Book Co. SDN. BHD)
No. 34&36. alan Ceell. (Jln. Hong Lekir)
50000 Kuala Lumpur. Malaysia
Printed in Taiwan
郵政劃撥帳號：17828744
戶名：小說族雜誌社

中華民國77年5月20日創刊

作家鮮活區

小說盛宴

批發部：台北縣中和市立德街126號2樓
電話：(02)32347887
海外經銷處：
紐約 TEL：(718)746-8889
World Journal 141-07 20th Ave. White Stone. NY 11357
洛杉磯 TEL：(213)261-6972
Chinese Daily News 1230 Monterey Pass Road. Monterey Park CA 91754
舊金山 TEL：(415)692-9936
World Journal 231 Adrian Rd. Millbrare. CA 94030
新加坡大衆書局
(Popular Book Co. PTE LTD.) BLK
231. Bain Stree. #04-59. Pars Basah Complex Singapore 0718

元氣小說・精彩2集

眼前像蝴蝶蛻變般柔美而充滿知性的女人，這些年她到底過著怎樣的日子呢？
從青澀到成熟，從情淡到情濃……在熱情與冷靜之間，情感的路要去向何方？

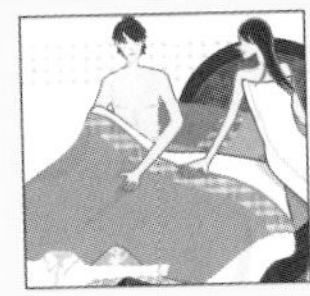

影畫館

試圖讓想像加上一點色彩，跳躍的音符，遊走在瑰麗幻境中。
優質圖文的邂合，最令人回味無窮。

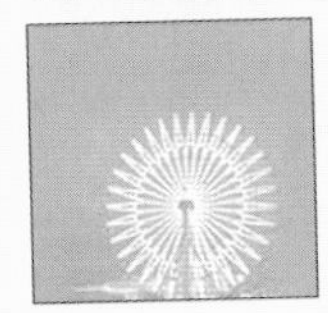

星座特區

精闢的分析，有趣的解說，透過星座魔法美女薇薇安的生花妙筆，有求必應，12星座本月運勢非看不可！

輕描淡寫的訴說，樸實卻自有動人之處。歌壇天后江蕙的驚人韌性與生命力一如她的歌聲，高亢時暢快淋漓，低迴時令你感動入心。

用美和優雅表達對台語歌的用心
江蕙的真情流露

文字整理／吳筱婷
圖片提供／動能音樂

與其說小時候為了生活而在北投走唱的日子很苦，我更相信這種『那卡西』的半工半讀童年記憶，伴隨了我打下純真的演唱基礎，以及將往後的生活舖進體諒和惜福的心境之中。

一個很努力做好音樂的歌手

江蕙新專輯《紅線》的製作人陳子鴻說，這是他第一次在錄完音之後被歌手Call回錄音室重錄。一般都是製作人要求歌手重錄，但處女座的江蕙只要覺得有問題、有瑕疵，就算錄完、Mix完，她仍會要求再來一次。

江蕙自認個性中的優缺點就

是要求嚴格，既然要做，就要呈現出最好的東西來，所以她實事求是、認眞面對工作和生活。

這麼要求自己會不會覺得壓力大？江蕙溫和地笑笑說，心情不好或感覺有壓力時，都是在家裡泡茶和聽音樂排解。不會以大吃大喝或血拚買東西來減壓的原因很簡單，因爲這樣太浪費了！根據她親身體驗，能最有效讓心情變好的方法就是泡泡茶、聽喜歡的音樂。

最大的支撐力量

人生一路走來，家人不僅是最大的支撐力量，也是最長久堅固的關係。她願意爲家人做任何事情，而且，最不願意失去的就是家人。至於愛情、成就等，都在家人之後。活著就要接受挑戰，江蕙覺得自己並沒有體驗過所謂的挫折，小時候走唱的日子，很多狀況都必須克服，有時候根本沒空想到它是個挫折，當成個問題解決就好了，沒有關係的。

唱歌唱了這麼多年，江蕙最大的成就感就是自己的作品得到喜愛，而且獲得許多歌迷支持，這是她很珍惜的部分。還有就是最近能與多明哥合唱《雨夜花》，讓台灣民謠登上國際舞台也是一樁印象深刻的回憶。江蕙這些年從未在公開場合演唱，受到多明哥的熱情邀約，她非常高興也非常緊張，因爲這是多明哥史無前例的第一次、也可能是唯一的一次邀請台灣歌手合唱。今年十一月的這段演唱回憶，她至今想起仍覺得難忘。

與其用顏色形容，我覺得自己比較像圖畫紙

聰敏睿智的江蕙，認爲與其用顏色來形容自己，不如說自己比較像圖畫紙，因爲她每天都有不同的面貌，所以要視狀況塗上顏色啊！

一把梳子可以用八年，沒有蒐集嗜好卻有許多愛惜的茶壺茶具，每次用完都會好好把它們放回定位，因爲喜歡所以愛惜，於是很多東西都能跟著她很久，這些身邊的物品往往不貴但是實用。講到這裡，江蕙瞇眼笑了起來，雖然還沒有想那麼遠，但年老以後的自己，生活應該就跟現在差不多吧！唱歌、泡茶、與朋友聊天，只要活得愜意自得就很滿足了。

新專輯中，沒有台語歌常出現的酒啊、哭腔等，她學習用新的東西開闊成長的機會。每一首歌都代表她對台語歌的用心和希望，她希望能用台語唱給所有跟她一樣在這塊土地上生長的每一個人聽。新專輯取名『紅線』的意思，就是渴望能聯繫台語歌和所有有情人的感情，讓孤寂已久的台語歌曲再次被期待和被喜愛。

一陣東北風吹過來，
吹過惜別的所在，
想起你甲我這場愛。

相思欲如何來按捺，
外面風聲攏咧交代，
聽著我滿腹的感慨，
聽講你所去的世界，
流行著寂寞的曖昧。
飄浪在風霜的時代，
夢折散佔海角天涯，
期待著溫暖的未來，
希望你你你你……
你一定愛忍耐。
我等你等你倒返來。
漸漸等甲欲變成無奈，
雖然愛你心情原在，
但是等待像斷崖，
思念是遙遠的境界，
若無信心等無路來，

一旦情愛看無未來，
有結局，無結局，
無愛等待。

——《遙遠的等待》

＊填妥P287回函，就有機會獲得江蕙精美單曲《遙遠的等待》以及精緻海報！

至今，流行音樂界還和他們不大熟，大部分的人也對他們不大熟，只有音樂人、樂評、怪ㄎㄚ和他們相熟；不過，在這個印象模糊但感覺深刻的位置，有亂彈阿翔堅持努力的精神進駐棲息……

當亂彈只是亂彈，亂彈精神就是你自己！

文字整理／吳筱婷
照片提供／高動力唱片

97年末
沒有熱烈掌聲和興奮的群眾鼓譟
就憑一張專輯——《希望》
低調地為97年的音樂注入『希望』
並得到所有樂團夢寐以求的《金曲獎最佳樂團》
然後，99年
第二張專輯《亂彈》
以人氣最弱、呼聲最低之姿
再次抱走金曲獎

至今
流行音樂界還和他們不大熟
大部分的人也對他們不大熟
只有音樂人、樂評、怪ㄎㄚ和他們相熟
不過
在這個印象模糊但感覺深刻的位置
有亂彈阿翔堅持努力的精神進駐棲息
也許
亂彈就是亂彈
亂彈只是亂彈
但是饑渴又瘋狂創作的亂彈阿翔

寫出的是存在你、我、每個凡人心裡的
夢想　欲望　失落　恐懼　自私
背叛　以及更多的
真實感受……

所謂的亂彈精神——就是你自己！

阿翔覺得自己的童年一點都不好玩。

宜蘭的那間雜貨店就是童年的背景場面，阿翔大部分的時間就是看店、看店……他最期待的就是離開。到了國中畢業，阿翔開始了五專的住校生活；半學期過去，他發現五專生活並不愉快，生活不外乎打架和追女朋友。期末考他唸不下書，煩悶極了的時候，他開始玩木吉他，一個人的木吉他。很快地，他的吉他興趣就在學校的公開比賽裡得到肯定，這更激發了他的細胞和動力。

某個平凡的一天，阿翔拿著用學校發的帆布袋裝的用品，以及從小存的紅包錢，回家跟父親說了一句：「我要去台北。」便開始了他的祕密目的。

到台北的第一個晚上，他找到了台北的同學，在同學家的車庫過了一夜。第二天他開始找房子，最後在台北橋下的三重找到了一處棲身地，剛開始幾天，他根本不敢出門，雖然有著十分的衝動，但畢竟對台北的一切都不熟悉，不過他很清楚這樣瘋狂來到台北的終極目的——買一把電吉他，摸遍所有的樂器，見見世面。

在住處待了幾天，他每餐在雜貨店裡搜括泡麵，後來總算幸運地在一間樂器行找到打工機會，而且還能先預支薪水買了一把電吉他，一萬元的月薪，要分幾個月償還一萬五千元的電吉他錢。阿翔認爲，只要能擁抱著這夢寐以求的電吉他，就產生了無窮的力量和信心努力下去。阿翔實現了第一步的計畫，便加緊腳步往第二步邁進——回學校組團。爲了快一點將電吉他的錢付清，他後來還到柏青哥打工，這樣才能在一個多月內還清，並且在開學前回到學校。

在台北待了三個多月，阿翔終於抱著他辛苦得到的電吉他回到學校，當時學校並沒有人在搞音樂，連音樂性社團都沒有。阿翔一邊在課業上驚險萬分地翻來爬去（二分之一學分不及格便退學），一邊連結同好組成了第一支樂團——『次文化』，這支樂團的吉他手還向『伍佰』學過吉他。

阿翔的五專生涯在他的快樂計畫下展開，他租了一間『古厝』。古厝有一間大廚房、一間貯藏室、一套衛浴、一間有電視冰箱的大客廳和兩間房間。阿翔把這間古色古香的老厝裝飾得很好，讓這間一個月五百元的老房子完全物超所值。每個月阿翔有三千元的生活費，學校旁邊的魯肉飯一碗十元，加飯二十元可以吃兩餐；或者買麵粉和水自己做東西吃也可以過日子。古厝外有一大片的蓮霧樹，剛開始阿翔好開心，看到蓮霧就覺得好好吃的樣子，他會摘了一大堆放進裝滿水的浴缸，然後大夥練團後，一邊看電視一邊吃蓮霧。後來有一次颱風過境，滿地的爛蓮霧卻讓他看了再也不想吃了，尤其是盛產期，看了這麼多掉了滿地的蓮霧……

很省的日子，錢夠用，日子很單純，不用擔心什麼，古厝位於空曠地所以練團不會吵到別人……日子很棒！這麼棒的日子是要創造的，他營造了一個很舒服的住處，用心知足地過著日子，所以一切就是這麼美好。

阿翔當兵的兩年中，剛入伍時，他是因為唱歌而考進軍中的康樂團，於是開始他的『跳舞生涯』。某個機會下，他拿著雨傘在台上唱了一首《四季紅》而展露才華，當兵的後半期就開始過著表演舞台劇的不錯生活。

退役後，阿翔和學長去了台中，他仍抱著組團的想法，有很多很高的理想，但現實就是這麼「他媽的」逼得他喘不過氣，於是他又去柏青哥打工，直到一個朋友打電話邀他在台中一間場子演唱。起先阿翔有些遲疑，但是想了一想，有機會就要去試，更何況這種機會難得。

在Pub駐唱期間，阿翔賺

到了錢，很勤奮地演出，沒料到台中的衛爾康餐廳大火，讓Pub的安檢開始備受相關單位要求，Pub的生意越來越差，許多店也面臨歇業的命運。

這期間阿翔開始認眞思考著：玩音樂，就算再怎麼學也不像，就算再怎麼像也是表演別人的東西。這始終是模仿，缺乏原創性。於是，阿翔開始創作，想作出一些自己的東西。

就在阿翔上台北前，他在Pub裡遇見了當兵前認識的亂彈樂團吉他手，於是便開始了亂彈阿翔的另一段生命。

回顧這一段過去，眞的只有嚐過，才能體會其中的味道。

有那麼一種人，你可能一輩子也不了解，他們不太談論什麼，他們不太告訴你什麼，你甚至不知道他們在哪裡以及他們到底在做些什麼？但是只要看過這種人，立刻就會在你的腦海裡留下了些什麼——留下了鮮明不易抹滅的印象。我想，亂彈阿翔就是這種人吧！

和他交談之後，你開始了解，也許他們走的就是這麼不太一樣的路，不過在他埋頭做他的音樂、做他的紀錄之餘，他就是這麼生活著——跟你我一樣爲瑣碎的生活操心著、和閒雜人等廝混著、掄起榔頭抓著木頭做一名錄音室木工。在音樂的領域，有些感受是無法用言辭形容，但有些東西就是不需要太多的言語，亂彈阿翔眞誠實在的唱和狂飆多變的曲，像一陣風……刺激興奮著神經交感。

＊填妥P287回函，就有機會獲得亂彈阿翔獨家紀念鐵盒以及阿翔個性簽名照！

害怕平凡的女生 芮恩Rui∑n

除了課業外，她還要花比別人更多時間去學習舞蹈、音樂，投入各項訓練，可是芮恩不但不羨慕別人可以早早放學回家，她反而害怕平凡、不願平凡。周杰倫『暗號』MV裡清新有個性的女主角吐露生活心情！

文字整理／陳慧琳
照片提供／阿爾發唱片

記得在周杰倫『暗號』MV裡清新有個性的女主角嗎？她，就是害怕平凡的女生，芮恩。

芮恩小時候總愛留著短髮，兒時的玩伴也以男孩居多。個性灑脫的她，兒時記憶中印象最深刻的是什麼呢？不是玩洋娃娃、也不是辦家家酒，反而語出驚人地說——『打架』在她的兒時遊戲裡可是家常便飯呢！

媽媽有個朋友常常帶著兒子來家中串門子，大人們聊天，自然地，她便和那個小男生打鬧起來，如同一般人所想的，小男生很喜歡以捉弄芮恩爲樂趣，但是她卻不像一般人所想的，以『哭』反擊，討厭掉眼淚的她，索性拳打腳踢和他卯上了。因爲這樣的影響，造就了芮恩現在灑脫而純然自在的個性，率直而不做作，讓人一見到她，就被她個人的特質與魅力給深深吸引。

愛的自由空間與神祕色彩

芮恩談起感情，喜歡有著風象星座的自由，個性獨立，討厭流淚，害怕黏膩的愛情關係。

學生時期的初戀，很平凡卻也很符合她所追求的不平凡！怎麼說呢？唸女子中學的她，放學後最喜歡和幾個好姊妹一起窩在學校附近的速食店，情竇初開的年紀，除了課業，小女生們的話題兜轉著的不外乎是某某男生很帥、暗戀哪個學長，於是速食店不僅成了她們哈啦聊天的聚會場所，更是她們最佳的『靚男仔搜查站』。

就在一次機緣巧合，同學的朋友在她們課後的例行聚會時，帶著一個別校的男同學來和她們閒聊，芮恩自在飛揚的神情，傻大姊般的可愛特質很快就吸引了他的目光。

他開始對她猛獻殷勤，天天電話熱線，以同學的關懷，朋友的友情，追求者的愛慕，持續在她生活中扮演著各種不同的角色，只爲了得到她的青睞。

就這樣，直爽的她答應了他的追求，成爲他的女朋友。

雙魚座的他，總是出奇不意地給她很多窩心的浪漫，一隻小熊，可愛精緻的糖果；突然出現在她面前，只因爲突然很想念她。他寵愛著她，可是水瓶座的她，在面對愛情時，卻是自由而理性的。

過於黏膩的關係，讓崇尚自由的芮恩很快就退縮了。

這段青澀如青蘋果般的酸甜，賞味期限居然只有短短的五天，愛情尚來不及成熟，就已宣告夭折。

她不堅持婚姻的依賴，只希望能在難過時，可以靠在喜歡的男孩肩上，對她而言，愛一定要有自由的空間，她相信適當的距離與神祕，是愛情保鮮的祕訣。

不平凡另類新女聲

喜歡各種流行事物的芮恩，對於穿著打扮，也有自己一套獨特的哲學，喜歡自行搭配穿出自我風格。

收集各種服飾是她最大的興趣，而帶著復古情懷的衣服更是她的另類收藏。因爲過往的流行事物，總能讓芮恩暫時脫離現實，忘卻生活中種種不如意，一躍而進入由她一手所營造出來的、美麗的復古新世界。

當問到她，對於新加坡男生和台灣男生的感覺時，因爲語言和習慣的關係，她比較喜歡新加坡男生；但是一講到打扮話匣子就關不起來的她補充，因爲新加坡民風嚴謹，相較之下，台灣男生在她眼中可是很會打扮的喔！

雖是唱片界的新人，但是對認爲『自信』是人生中不可缺少的芮恩來說，冒險積極、喜歡新鮮的事物，讓芮恩贏得了經紀公司的賞識，早在十九歲就進入演藝圈。

現在仍是大學生的芮恩，比起其他同學都更努力。除了課業外，她還要花比別人更多時間去學習舞蹈、音樂，投入各項訓練，可是芮恩不但不羨慕別人可以早早放學回家，她反而害怕平凡、不願平凡。樂觀的芮恩從不因此覺得辛苦，反而認爲有了這許多的磨練，才可以成就她不平凡的聲音。

也因此芮恩第一張同名專輯，唱片公司就祭出王牌班底聯手打造，依照芮恩個人特色和獨特的唱腔爲她量身訂作，眼尖的朋友，應該不難在螢光幕前發現她舞動的身影。

她的人就像她的歌，她獨特的氣質，給人一點點神祕、一點點驚奇、一點點另類……這就是不平凡女生——芮恩。

＊填妥P287回函，就有機會獲得芮恩精美單曲、獨家零錢包、精緻海報及簽名照！

笑容

圖：wai
文：杏仁

笑容，對所有的人來說，應該是種樂意見到而不是令人訝異的表情，但是今夜我真的被嚇到了，因為我看到了她的笑。沒錯！我的她笑了。

我試著用淡然來掩飾我的驚訝，從認識到暗戀她這麼久了，從來沒在眾人前笑過的『冰山美人』竟然在我面前笑了，而且還是能讓男人看了就心跳不已的那種。還沒回過神來，就聽到身旁有個聲音傳了出來……

「這笑話很好笑吧？」

轉過頭去，我看到了那位與她交談的男人。我得承認，就算是在我的眼裡，他真的也算得上是相當具有魅力的人。長得高帥，又有錢和品味，也難怪他一走進門口就吸引了所有女性愛慕的眼光。但是我並不喜歡像他這種類型的男人，因為我看得出來，他是個獵人，還是個很聰明和厲害的那一種，他這種類型的獵人只願意尋找和注意最值得守獵的獵物，而今晚，她就是他的目標。

一來到這裡，他立即展開行動，以很優雅的姿勢坐在吧台前與她聊天講笑話。他那看著她的眼神讓我很不喜歡『曾聽別人說過那是一種挑逗的眼神』，所以我飛快地往她身邊靠過去，好讓這男人明白知道我和她親密的關係。看到我的接近，她很自然溫柔地摸摸我的臉，我一直都好喜歡她用這種方式來表現我倆之間的關係。

看著我倆的親密動作，他好奇的想知道我們的關係，但她只是看著他微笑不語。

看著我滿臉的不信任和敵意，他只是聳了聳肩，然後用疑問的眼神看著她，她淡然解釋：

「都是這樣，一開始沒人能例外，你們只要花點時間認識認識就會沒事了。」

然後她轉過身來

告訴我說：「不好意思，我要和這位新朋友談一下話，麻煩你去幫我看一下場子，好嗎？」

我實在很不想讓他們單獨在一起，但是我更不願讓她生氣，我只好無奈的離開吧台，到店內我最愛的角落坐下，喝她早已替我準備好的飲料。看著他們的背影，我不由得想起了我和她第一次見面的那天。

我是個棄兒，在我的記憶裡沒有任何有關於我父母的訊息，而從小我就學會在垃圾桶和社會的夾縫裡求生存，所以我從來不相信任何人，直到我遇見了她……

那一天我為了找晚上睡覺的地方而來到了一間屋子的後院裡，在那裡她看到了躲在垃圾桶後面的我，先是訝異，後來她溫柔的試著不驚嚇到我，慢慢靠到我的身邊，沒問我躲在她家後院的原因，只是輕柔地說：「如果沒有地方住的話，來我這裡吧！我也是一個人，這樣的話，我們都可以有個伴，好不好？」

除了驚訝到說不出話來之外，我只能用我那雙微濕的眼睛看著她，肆意享受我這輩子第一次得到的溫柔。

就這樣，我們倆開始了同居的生活。我知道我和她才剛認識，但是她一直都很照顧我，對我很好，甚至還讓我為她新開的酒吧取名字。而店開張了之後，她也讓我在外場幫忙吸引客人進來。這段日子是我這一生中最快樂的時光，因為她替我驅走了我最怕、也最恨的一種感覺，那就是『寂寞』！而在這段時間裡，我對她的感覺也從感激變成了愛慕。但是我不敢也不能說，因為我知道那個時候我的年紀還太小。

但是我現在已經成年了，我相信如今的我絕對可以成為一個愛她，照顧她一輩子的伴侶，如果今晚沒有他的出現的話。

這個有我，她，他，及其它人存在的地方叫做『CAT』。這裡八點開門，兩點關門，六個小時內總會有近百人在這個小空間狂歡來去。通常我喜歡在人群裡鑽來鑽去或者是冷眼旁觀這些人的喜怒哀樂。但是今晚，我的眼睛卻只看得見在吧台邊笑著的她和讓她笑的他。

這也怪不得我，因為不只是我，幾位老客人也和我一樣，眼睛只能盯著他們看著。因為這是『CAT』開張至今，『冰山美人』第一次在眾人面前展開她的笑顏。

哦，忘了解釋一下，『冰山美人』這綽號是店裡的老客人為她取的，因為她不管在誰的面前都未曾笑過，就算是面對我的時候也一樣。每晚她都是冷漠的做完事後就回家，從來沒在衆人面前露出任何情感。而對我來說，她唯一最接近情感顯露的時候就只有在晚上睡覺時。她很喜歡抱著我睡覺，不做別的，就只是抱著我入睡。因為她曾經告訴過我，抱著我睡覺能使她覺得溫暖。但是每晚看著她，我知道她並不快樂。因為睡著的她，閉上的眼總是會靜靜的流出淚水。

很多人都曾猜測過她的來歷，卻沒有人知道她是什麼時候開始擁有這家店面的，也不知道她從哪裡弄來買下這家店的錢。有人說她曾經是當紅的舞女，也有人說她是某黑道大哥的女人。但是不管流出哪種流言，她永遠視而不見、聞而不聽。久而久之，流言也就慢慢地自動停止流傳了。

但是只有我知道，她曾有過一段只屬於她自己的悲傷過去。在每一年的某一天，她都不去開店，只是待在家裡喝悶酒。以很嚇人的方式邊哭邊喝，直到喝醉後才口齒不清的告訴我，曾經有一位心愛的男人在她的生命中，一位能讓她願意跟隨一輩子的男人。但是那個男人死了，就這麼簡單，死了。從那天起，她便失去了笑容。

但是今晚不一樣，這是我從認識她以來第一次看到她如此燦爛的笑。雖然不甘願，但是我還是不得不佩服他，所有客人、員工、和我所做不到的事，讓他給做到了。

再回過神來，才發現再十分鐘就兩點了。而他們還是繼續聊著。不過從她臉紅微笑的樣子，我知道他已經開始進入主題了。不知道為什麼，當我看到她望了望我，然後轉過頭去，對他點了點頭的時候，我忽然明白知道，今夜會陪她入睡的，將不會是我。

兩點了，所有的客人都緩緩離開這個讓他們瘋狂了一夜的地方，只剩他瀟灑的依在門旁等候。幾位老客人在離開時還對他說：「好小子！有你的！要好好的照顧我們的『冰山美人』，知道嗎？」

他微笑不語，一臉斯文的外表卻藏不住當獵人抓到了獵物時的那種滿足和優越的表情，我真的很討厭他那個樣子。

轉過頭，看到她正在將所有的瑣事做完。我告訴自己，一定要提醒她有關於他的真面目。但是當她做完所有的事情，輕快地往我這邊走過來時，她的笑容卻讓我什麼話都說不出來。看著他抱了抱我，對我說：「消夜都在同一個地方，要吃飽哦。早點睡，別等我了，OK？」

然後她轉身往依在門旁等候的他快步走去。在他們關門離去之前，我聽到他們之間的對話：「我很擔心呢！我從來沒有讓牠自己過一晚，會不會有事呢？」

「放心，牠不會有事的。今晚妳只要想著我就好了。」

望著他們漸漸遠去的背影，我這時才開始拚了命的叫她，我要告訴她，我有多愛她，而且應該是我才是適合她的伴侶。但是不管我怎樣用力的叫，從我嘴裡發出來的聲音卻永遠都只是：「喵……喵……喵……」

從窗戶看著他們漸行漸遠，終於，消失在我的視線之外了。到了這時我才發現臉上早已被淚水佔滿。不爭氣的舌頭下意識舔去了部分的淚，這時，我才了解，以前隔壁的貓奶奶聽到我愛上了她時，只能搖頭嘆氣的對我說：「孩子，你知不知道？不管你有多想，『貓』是無法去愛『人』的。唉，早晚你會明白的。」

現在我終於懂了，當今晚，她第一次離開我，讓我獨自的、再次接觸寂寞。

但是我不明白的是，為什麼我的胸口會那麼的痛？淚會流得那麼的多？

但是我卻明白知道，從現在起，我再也無法擁有她曾失去但是今晚又找回的——笑容。

繼續愛你

文／日光薔薇
圖／Fion

那麼　只要我還有心跳的時候
便不會停止愛你
雖然　這也許是一個悲劇的童話
正因為痛　才 代表它真實的存在吧
我會一直走下去　不過是　為了成全自己的愛情

寂寞地圖

文/日光薔薇
圖/Fion

在這個城市裡
沿著寂寞地圖行走
找到和我同樣孤單的人
以為我可以試著依靠　卻得到更多的寂寞
原來思念不同　卻可以相互傳染

找心

文/日光薔薇
圖/Fion

你的心也不見了嗎
很巧的　我也是
我曾經希望能在那個很像你的人身上找到
很可惜　我和他　總缺少了點說不上來的感覺
所以　改天天氣不錯
我們一起把它找回來好嗎

種子

文/日光薔薇
圖/Fion

不出現在你的眼前
就會從你的心中消失嗎
那顆情感的種子往下紮根
很快地將會盤踞你整顆心
要忘記深愛的人
不如先忘記自己
遺忘　然後　重生
回到那個不曾遇見你的原點
我也許還能完整地擁有自己

位置

文·影像／藍川芥

牆上的日曆　排泄了一公克的重量
持續舞動自以為是　苗條的身子
卻枉顧　字紙簍裡　一缸重的相思日子

圓環的花鐘　塞進了快失聰的耳朵
持續發佈後現代式　美麗的賞賜
卻冷落　消逝空中　低分貝的愛戀沉詞

娘子被一公克的殞落　砸毀了精神尺度
想像日曆在精神上割了一道縫隙　離家遠世
就連低分貝的咳嗽　都是一種驚嚇　魂不守室

我只想告訴妳　我不是

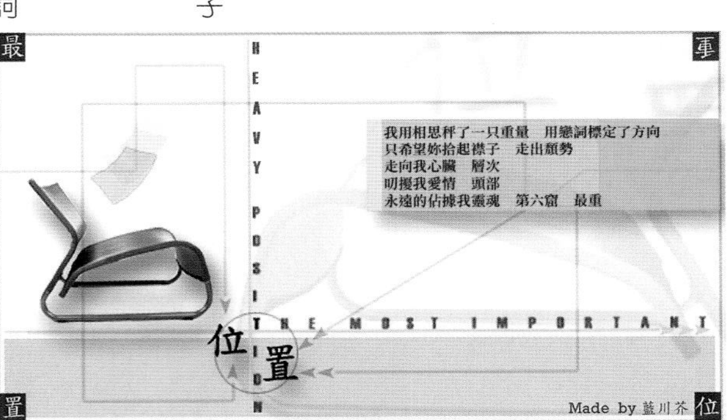

否則我不會用這一公克的文字　這失聰的格式
召喚一缸的相思　低分貝的戀詞

我只想告訴妳　我不是

否則我不會吞食妳的冷然漠視　這失序的掩飾
咳出冷過頭的熱氣　透明的解釋

所以我用相思秤了一只重量　用戀詞標定了方向
只希望妳拾起襟子　走出頹勢
走向我心臟　層次
叨擾我愛情　頭部

永遠的佔據我靈魂　第六竄　最重位置

和平車站

文・影像／藍川芥

盛夏午后的稍稍停駐，我結交了和平
天籟不作聲、晴空的大燈熄滅
山嵐華麗褪去、車站的旅人不見
剩下的只是，我寄放和平的匆匆信件
對妳，輕輕的思念

和平車站。

盛夏午後的稍稍停駐，我結交了和平
天籟不作聲，晴空的大燈熄滅
山嵐華麗褪去，車站的旅人不見
剩下的只是，我寄放和平的匆匆信件
對妳，輕輕的思念
—藍川芥—

街燈

文・影像／藍川芥

當天空露出魚肚白　我的旅行正開始
背著行囊持著票根　尋找傳說中的藍色街燈
傳說它憂鬱　傳說它神祕
只要見到它一眼
堅心會化成翩翩羽翼
向願望飛去

當灰雲露出太陽一半　我的旅程也過了一半
帶著相機承載回憶　尋找兒時的白色街燈
雖它愛作怪　佯裝霓白燈
但遠遠瞧它閃哪閃
慌心會是倦途羔羊
老鄉是歸巢

如今我走著走著來到昏黃燈前
望著那黑夜底下襯出的一片甜
它不似憂心般憂心
它不似安定般安定
但是溫暖昏黃的微粒
總能是心悸的鎮定劑
讓黑夜不那麼自大
讓心還能在夜的租界
跨越尋覓
同溫的街燈
同心的佇立

童話棒棒糖

文◎琉小琳　圖◎藍川芥

思緒從你定格的那一刻啓航
宇宙能量就此最美的爆發
童話棒棒糖的旋渦
像宇宙星辰的星軌　轉動著美麗的初衷
轉動出時間流裡的微笑　甜甜微漾
裹上糖衣的邂逅　憑添幾許童話夢
像是
乘著愛　在旋轉木馬上快樂的轉啊轉
隨時間　在摩天輪裡無聊看著遠方
迎著風　在雲霄飛車上大起大落
愛的遊樂園裡　不是全部都能如人意的教人歡心
我倆一口一口　將童話糖衣層層舔下
裸露出一層一層真實
一口又一口地教夢醒　夢睡　夢睡　又夢醒

童話魔力般的棒棒糖　重新裹上七彩糖衣
彷如天使的仙女棒
在星光點點的夜裡　灑下點點愛的光芒
在公主王子相遇的童話故事裡啓航
一起醞釀歸期到……世界末日
我和你一口一口分享著童話棒棒糖
騎乘在旋轉木馬上繼續轉啊轉
愛情的魔力在1999開始漂浮漂浮
天使一樣　祂的魔力拖著整個世界
也拖著你我　夢的重量

愛情的理想與現實

FOCUS小說

全世界都睡著的時候，只有你我還醒著，因為清醒，所以越是快樂就越是痛苦；

擺盪在愛情理想和現實之間的差距，心情一忽兒高、一忽兒低；

我只能在連星星也沉睡的夜晚，用淚光引渡你，到我心中重聚……

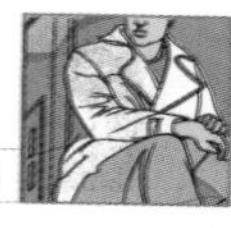

「祝你幸福」

文◎楊翼
圖◎萬歲少女

我們一起在非現實的夢境中忘了自己是誰，忘了自己的責任，忘了身邊還有一個人在等待。我們快快樂樂地付出過一些什麼，雖然回到現實的感覺有點落寞，有點失落……

三十歲生日的那一天早上，我睜開眼睛的時候，鬧鐘還沒有響。

翻個身，看見身邊的人還好好地睡著。

我坐了起來，在還沒完全清醒的狀態下想到今天是自己的生日。終於，我也已經三十歲了。

好冷的天氣啊！我發著抖下了床，打開門走到外面的陽台準備開瓦斯。這麼冷的天氣，不用熱水洗臉太殘酷了。

大門邊好好地躺著一個包裹，吸引了我的注意。

鐵門關得好好的，沒有任何人入侵的跡象；郵差也絕不可能把郵包親自送上樓。那這是誰送來的？

包裹上寫著我名字的字體有一種可愛的端正感，有點像是小孩子的字體。

我的心裡突然有點緊張。這個字跡……

粗魯地拆開包裹，裡面一打Hanes的內衣，讓我呆住了。

小朋友：

生日快樂！在人生中很具指標意義的三十歲生日，你會怎麼過呢？

其實早在很久很久以前，我就在想該如何幫你慶祝這一天，我一點都不貪心，只希望你能把生日的前一天晚上給我，然後陪在你身邊，在十二點整的時候，對你說聲生日快樂。

我甚至也想好了找禮物的遊戲，想趁你睡著的時候，偷偷地拿著你的車鑰匙溜到樓下，在你的車上留下尋寶的指示，然後指引你到後車箱找到我為你準備的生日禮物。

只是我從來沒有想到，不能見面的那一天會提早來臨，這個遊戲，當然也就玩不成了。

不知道這份禮物有沒有給你一個小小的驚喜呢？因為我們早就說好不再見面的。你會不會想念我？

我曾告訴過你，我一定會很想念你的。只是，人生中總不可能每件事都盡如人意，你說是嗎？就像我們之間，也不可能有些什麼。

我們誰也沒有勇氣，不過已經沒有關係，都過去了。我只想跟你說，謝謝你陪我走過這一段寂寞的日子，就當作是一起作了一個夢吧！想想夢中的你和我，真的還滿快樂的。

只是，夢總有醒來的一天，然後我們都要回到現實。

其實，如果能夠狠狠地恨你，日子絕對會比較容易過下去；只是我知道自己永遠不可能恨你。

我不需要否決你，也不需要否決曾經有過的所有。我不想這麼做。

夢醒了，就是現實了，難以忘掉的部分，就全部變成回憶吧！

就這樣了，小朋友，你要幸福喲！

Amelie

把信紙摺好收起來，看著一大包的白色內衣，心裡浮現Amelie那總是似笑非笑瞅著我看的神情、她笑起來甜蜜的樣子、還有不開心時老是嗽嘴的小孩子行徑。

我閉上眼睛，突然想念起她來。

事情是怎麼發生的呢？從常打電話給她、老是約她出去閒逛到每天非聽到她的聲音不可，這其中的轉變完全是理智所無法控制的。

那個時候其實我身邊有一個女友，雖然關係極其冷淡，但我還是想盡好一個做男朋友的義務。Amelie也有一個遠在外地工作的未婚夫，雖然她很少談及他們的關係，但我想既然訂了婚約，一定有某種想共度一生的感情基礎吧！

我們都很清楚對方的另一段感情，所以，我們的關係一直維持在很曖昧的階段。

日本劇作家北川悅吏子曾經說過，男女之間的純友誼，如果不是永遠的單戀，就是持續地交錯

而過。男女之間眞的會有純友誼嗎？我不知道。但我知道，我和Amelie之間的感情，絕對處在一種很灰色的地帶。

如果只是朋友，那種心意相通的感覺是怎麼回事？如果不只是朋友，我們又不可能找到任何一種世俗的認定。

某一天晚上，我突然很想坐在沙灘上發呆，於是約了Amelie出來，帶著她到了海邊。那天晚上其實我很不想說話，她卻像隻小麻雀一樣地在我旁邊吱吱喳喳地說個不停。老實說我很討厭很吵的女生，不過奇怪的是，我卻不討厭這樣的Amelie。

Amelie後來連鞋子也脫了，「下來玩水呀！」她笑著的樣子有一種很天眞的單純。

我搖搖頭，於是她跑向黑壓壓的大海，踩著水玩。

突然，她看著海的那一邊，發起呆來。我在想，她是不是想到海的對岸的未婚夫呢？不過只是一下子，她又開開心心地跑向我，好像什麼事都沒有般地開朗。

就在那個時候，我突然牽了她的手。我們兩個人都沒有說話，她也沒有掙脫我的手，她的手靜靜地躺在我的手中，我彷彿可以聽見自己的心跳，加上她的，重疊在一起。

我不知道這代表什麼，我不能給她什麼承諾，也不能要求她給我什麼，我只知道，我喜歡跟她在一起的感覺。

這是一種很抽象的感覺，你只是喜歡跟這個人在一起，一起做一些事，一起笑、一起鬧、一起談談彼此的生活，卻不能給出什麼承諾，或是其他更實質的什麼。

但這也是一種很怪的感覺，終於，在我擁抱著她並且吻了她之後，Amelie首先提出了第一個質疑。「不要把我當成另外一個人。」

我當然知道Amelie說的是我女友。但我真的從來沒這樣想過。

「我不想抱她，只想抱妳。抱著妳的感覺真的很好。」我情不自禁地這樣說著。我不想壓抑這種感覺。

那天晚上，我們情不自禁地擁抱，不斷地接吻。我從來不知道，抱著一個人的感覺可以這麼激烈卻又安心。

午休時間，女友打來電話。

「晚上七點在小義大利幫你過生日，別忘了唷！」她甜甜地說。在Office裡的她，難得有這種好心情。

忙得還沒有時間吃飯的我，「噢」了一聲。「還有事要忙，就先不說了。」

「那晚上見。」

「晚上見。」

掛下電話，我突然虛脫似地，變得懶懶地。

有一陣子，我和Amelie常去吃義大利麵，但不知道爲什麼，一直沒有機會陪她去小義大利。

記得一個週末的晚上，我撥了電話給她。我習慣性地問她在哪裡。

「在和朋友吃火鍋啊！」她那頭眞的有點吵，「一個朋友離家出走，我們在陪她，待會要去凱悅狂歡一夜。」

「妳還眞能玩！」

「對了，我中午和朋友去吃小義大利唷！」電話中她的聲音總是很有精神。「眞的很讚哦！」

接著她就開始說明她們如何點了菜，結果侍者如何含蓄地告知她們點的分量會太多、她們如何刪減了菜色，侍者暗示要她們加油之類的瑣碎過程，不過我還是聽得很認眞。

「薄餅眞的很大吧！」我問她。

「嗯，眞的。」她吞了呑口水，「不過好好吃，我很愛薄餅。對了，義式蛋捲也很正點。」

當她這麼說的時候，我因爲想起她吃東西的表情，忍不住微笑了起來。我很喜歡看Amelie吃東西，尤其是好吃的東西，那種滿足好像全世界的憂愁在瞬間都不見了。

於是我變得很喜歡帶著Amelie去吃任何一種我覺得好吃的食物，不管是大餐廳或是小攤販，可口的奶油鮭魚義大利麵、道地的上海湯包、公園旁邊的米粉湯、全台北最好吃的胡椒餅，那一陣子我帶著她吃遍大街小巷，就是希望討她開心。

想著想著，我從手機的電話簿裡找出一個熟悉的號碼，考慮著要不要撥號。

那是Amelie的電話號碼。

想了想，還是算了。

我繼續工作，但不知怎麼地，我突然想到最後一次見面的那個晚上，緊緊被我抱著的Amelie，流著眼淚對我說「我們不要再見面了」的悲傷表情。

我把手機丟回桌上。

曾經有一天早上醒來，看著身邊躺著女友時，突然有一種很不習慣的感覺，那個時候我就知道，自己已經習慣躺在旁邊的人是Amelie了。

原來管不住自己的心是一種這麼可怕的感覺！那陣子，女友老是找我吵架，我因爲工作的煩心，也很懶得應付她的情緒。女友是個任性的女孩，如果她在辦公室裡時，我們通電話她通常不會有什麼好語氣；如果晚上她累了，就對我一副冷淡的樣子。

老實說，我還比較喜歡陪在我身邊的是Amelie，她有時眞的很貼心，有時又開朗得很頑皮，跟她講話總是讓我很開心，有時候忍不住笑出來，忘了工作的心煩。

只是，我們之間這種模模糊糊、界線不明的感情，讓我們都很小心地不要流露出過多的情感，並僞裝成一種忽略現實的狀態。於是，我故意遺忘她有未婚夫，她可能也故意遺忘我有女友，而開始了一段早就定下規則的感情遊戲。

這種關係其實很微妙。我們都對彼此好，也很在乎彼此，但Amelie從來不要求我離開我的女友，甚至女友和我大吵一架搬出我的住處面臨分手時，她還像張老師一樣輔導我，教我怎麼挽回這段感情；而我從來也不會要求她離開她的未婚夫，不但時常關心他們分隔兩地的相處情況，在她未婚夫回來的時候，還要她多陪陪他。

於是我們漸漸默許這段在不破壞彼此原本情感之下而放任的感情，漸漸學會如何在非現實的情況下相處。

有很多事情是不能說破的，或許也正因爲模糊，所以美好。

某一天我打電話給Amelie，不知道爲什麼，我把晚上女友要到我的住處去的事告訴了她。其實我也沒想到自己爲什麼特意說了這種事，因爲如果我沒有表示能見面，Amelie根本不會主動約我，因爲很清楚，我一定是和女友在一起。所以，我根本沒有必要提起的。Amelie的聲音聽不出任何情緒，說了一些日常的小事，我們就掛了電話。

幾分鐘之後，Amelie撥了電話給我。

「我想，我們不要見面了。」她的聲音有點顫抖。

「怎麼了？」

「你不覺得我們的關係很怪嗎？」Amelie問。

當下我什麼也無法反應，只好告訴她，讓我想一想。

第二天一早，我打電話給Amelie，要她陪我去選唱片。

那天晚上，我們還是見面了。我們針對混亂的關係溝通了很多，我答應Amelie，如果她真的覺得很怪，或是影響了心情，我們可以只當朋友，那種偶爾吃吃飯、逛逛街、談談心的朋友。

「妳有未婚夫，我也有女朋友，不管怎麼說，她還是我的女朋友，我對她就要盡到做男朋友的責任，她有她討人喜歡的一面。妳也很貼心，跟妳在一起很舒服，老實說，我還比較喜歡跟妳在一起。但是妳也知道的，我是那種寧願別人負我，我也不會負人的人。雖然因為有妳，我不會再像以前對她那麼好，但是如果她沒有先提分手，我也不可能先提。」

我知道自己這樣說很自私，但我相信Amelie能夠理解，我雖然喜歡她，可是我們都沒有立場去傷害我們周遭的人。或許也該說是沒有勇氣吧！

我們說好只當朋友，不去破壞我和女友、她和未婚夫的關係。但是那天晚上，我還是開口要Amelie留下來，在床上，我們忘情地擁抱、激烈地交纏……

我沒有辦法想像失去她的感覺。

下午拜訪客戶回到公司之後，我整理著混亂的公事包，突然在最裡層發現了一個小小的透明袋，裡頭裝著三顆灰色的釦子。

那是我為Amelie買的釦子。

某個星期一的晚上，我和Amelie隨意地在街上逛著，我看到一件不錯的T恤，便拉著她走進店裡。「這件不錯，妳要不要試試看?」

後來Amelie在我的慫恿下買了一件T恤和灰色的西裝外套。

「眞的要買嗎?你眞的覺得好看嗎?」

「眞的好看啦!」我發現她穿起那件外套眞的很好看，合身極了。

那件西裝外套是單釦的設計，不過不知怎麼地卻少了釦子，也因此店員算我們便宜了一點。

「沒有釦子眞的不會怪怪的嗎?」回到我的小房間，Amelie穿著外套在我面前轉著。

我拍拍她的肩膀，拉拉她的衣領，順勢把Amelie拉進懷裡。

「那個小姐不是說反正也很少人會扣。」

Amelie把頭埋在我懷裡，那一刻我突然很想知道，她是不是也跟我一樣，有一種心突然怦怦跳的感覺。

隔天我去拜訪客戶時，看到一間專賣釦子的店，我走了進去，挑選了三顆不同的釦子。總有一顆可以搭配那件灰色外套的吧!

「妳來的時候記得把外套穿來，我幫妳找到了適合的釦子。」我打了電話約Amelie，我好想見她。

「好感人噢!」她每次都用這種玩笑的語氣掩飾某些東西，我早就習慣了。

Amelie穿著那件外套來了之後，我在她取笑我「你還真的很賢慧耶」的口吻下拿出針線包，打算將釦子縫上去，這才發現釦子有點小。

「不縫了，釦子太小，縫了也不好看。」我把釦子收起來，「我改天再去換大一點的釦子，縫起來比較好看。」

「噢。」Amelie說著鑽進了被窩。

我很自然地擁著她睡，嘴唇忍不住找到了她的，忍不住又纏綿了一番。

很奇怪，每次抱著她，我總是會有欲望和激情，那種感覺是和女友之間沒有的。而那一陣子我只想抱著她。

只是，那三顆釦子就一直放在我的公事包裡，直到我們不再見面了，我始終沒有做到對她的承諾。

把釦子放回公事包裡，我瞄了一眼安靜的手機，突然想，她會不會打電話來呢？好久沒有聽見她那開朗的聲音了。

也許她正被另一個男人擁著，心裡突然覺得好寂寞。

雖然相處的時間很短，回憶卻太多太多了。

那一陣子我和Amelie幾乎天天在一起，那是一種很奇怪的牽絆，明明沒什麼特別的事，但一到

下班就是想約她，爲了這件事，我老是被女友埋怨。「你都不多花點時間陪陪我。」

可是我無法放下Amelie，想到她未婚夫不在身邊，就忍不住要關心她，陪她吃飯，到處閒晃什麼的。而且我們之間總是有話題可聊，不像我和女友，就算見面也是話不投機三句多。

有一陣子我和Amelie瘋狂地愛聽Jazz CD，常常去逛唱片行找推薦盤，Amelie每次找到我想買的CD，都會高興地舉起CD喊著「得分！」很沾沾自喜的表情，彷彿我們在比賽似地。

我們在一起聽Diana Krall慵懶的女聲，聽小號手Chet Baker唱情歌，聽Miles Davis的五重奏，因爲找到Billie Holiday的『緞衣淑女』而開心不已，因爲買不到Ella Fitzgerald的『鼓掌！理查來啦！』而不甘心。

但是生活在一起點點滴滴的快樂，漸漸地被一種奇怪的情緒籠罩，偶爾女友開口說要來找我的時候，開朗的Amelie就要暫時消失。她會變得有點消沉。

其實我對這樣的Amelie感到有點心疼，但也無可奈何。我的理智可以把這兩份感情分得很清楚，就算我和女友分手，那也絕對是我們之間眞的完全無法挽回，而不會是因爲我的身邊有Amelie。雖然我眞的很喜歡也很需要Amelie，不過我知道自己從來沒有資格忘記她有未婚夫的這個事實。

不知道Amelie是不是也是這麼想的，不過，我們之間的感覺慢慢地變得有點沉重。在一起的時候，有時Amelie會變得沉默，不開心的時候也越來越多，我常常都要逗她開心。

有一次Amelie在我面前鬧起脾氣，我很驚訝，一向開朗愛笑的她，拗起來竟是這麼難以安撫。後來我也生氣了，開了門走出去不想再理她，但想了想，我還是走回去，把她拉進懷裡，溫柔地哄著她。其實對她有這樣的耐性，連我自己都覺得驚訝。

不過我們心中都很清楚，當有些事情越來越介意，就代表那種模模糊糊的感覺已經漸漸清明起來，而無法再忽視了。

最後的那個晚上，我和Amelie待在朋友家玩牌，Amelie的電話一直響，我看著她不斷跑到陽台講電話，一講就是很久，心中明白有事發生了。

一直到回到我住的地方，Amelie一直很沉默。關上燈躺在床上，黑暗裡我開口了。「要不要聊一聊？」

然後Amelie就開始哭，說她和未婚夫之間大概是完蛋了之類的話。

「是因爲我嗎？」我這樣問，Amelie卻沒有回答。

這種時候我能做什麼呢？勸她解除婚約？還是勸她努力挽回感情？

第一次發現自己的立場很古怪。

後來我開口安撫Amelie，要她先找未婚夫談一談，也許事情沒有那麼糟。

然後我們躺在床上，聊著彼此的感情，我和女友之間的冷淡，她和未婚夫之間的裂痕。Amelie第一次問我爲什麼可以分得這麼清楚，我告訴她，就算感情已經冷到不能再冷，我還是會想努力，

如果因爲賭氣而分開，我覺得實在太不值得了。

其實我根本不知道Amelie想從我嘴裡聽到什麼，在這種情況之下，我也不知道自己能說什麼。能說「既然這樣，我們把另一半丟下吧」而義無反顧地在一起嗎？Amelie沒說，我也不敢先說，我們誰也不敢說。

我抱著Amelie，找到了她的唇，用身體安慰著她。別哭了別哭了，我聽見自己這麼說。我的心好痛，是因爲自己可以感受到她的心痛嗎？

還是隱隱約約發現，好像是結束的時候了？

然後，Amelie抱著我哭說：「我們不要再見面了，好不好？」

不敢相信自己居然眞答應了Amelie，我們眞的就不再見面了。

我們之間有太多理不清的感情，也許，我們都不知道該怎麼辦。

其實這樣也許對兩個人都好，我不敢去問Amelie這麼做的理由，也不敢再像上一次那樣裝沒事地挽回，因爲我知道再不收手，有些事就眞的要發生了，而一旦發生，誰有勇氣去承擔那樣的後果呢？

我有一種從夢中突然清醒過來的感覺。一個很美也很短暫的夢，雖然不想醒，但總會醒的。

這期間也曾好幾次打電話給Amelie，兩個人都很雲淡風清地聊著，Amelie一直沒告訴我爲什麼，我也很有默契地不再問，我想，應該是她未婚夫回來了，也許，她就要結婚了。

不過，我是眞的沒想到Amelie會送了這樣一份禮物給我，在我三十歲生日的這一天。

我還記得那一次Amelie興高采烈地打電話給我，問我要不要買Hanes的內衣。Hanes這個牌子是我還滿喜歡的牌子，我也曾經嚷過要買這個牌子的內衣，那天Amelie大概是去逛美式大賣場吧，一看到就開心地打電話給我。

不過那天我卻對她很冷淡，因爲女友正躺在我身邊，我實在不能說什麼。

「還好耶。」我說。

「噢，那算了。」Amelie好像也有感覺，說完就匆匆掛了電話。

原來她一直很介意這件事情啊！其實她一向對我的喜好很留意，我對她也是這樣。會去注意一個人喜歡什麼不喜歡什麼，應該就是對那個人有點在意吧？

不過，這些都已經過去了。我不能給Amelie什麼承諾，而她，也再也不會和我見面了。

Amelie的信上說她很高興我陪了她一段，我也是同樣的心情。在那段寂寞的日子裡，因爲有彼此的陪伴，我們一起在非現實的夢境中忘了自己是誰，忘了自己的責任，忘了身邊還有一個人在等待。我們快快樂樂地付出過一些什麼。

雖然回到現實的感覺有點落寞，有點失落，但是想到也許她現在是快樂的、是幸福的，我們都還沒有破壞了什麼，就又回到眞正的生活之中，其實有點鬆了口氣，就是那種「啊，幸好」的心情。這麼說來也許我們都理智的過分，但是，我是眞的希望Amelie幸福，就像她也希望我幸福一樣。

走進小義大利，女友在座位上向我招著手，我走了過去，心裡卻想著，今天晚上回家之後，我要穿上Hanes的內衣，再聽一遍Diana Krall的《The Look of Love》。

然後對自己說：生日快樂。

網路笑話

一字不漏

祕書問老闆：「你要我一．字．不．漏的記下來嗎？」

老闆粗聲粗氣的回答：「剛就說過了，妳沒聽懂嗎？來！給我坐好，要『一字不漏』的記下來！」

不久，信打好了——

「王總：他媽的，這傢伙的字怎麼這麼難看！也不知道叫祕書打個字！來信知悉。您要上的廣告，喂，丫慧，我們廣告的單價是多少錢？啊！2500？好的，經本公司會計部核算，計為3000元整，哼！這多出來500算是對他筆跡潦草的懲罰。希望能很快接到您的訂單。好了，妳可以起來了。喔，妳還真不是普通的重，坐得我兩腿發麻……」

「愛來愛去都是你」

文◎日光薔薇
圖◎瘦子貝

在愛情裡，她絕對是個偏執的挑食者，她只想愛她自己愛的，不管別人之於她曾經付出過多少。所以，她常常跌進情感的五里雲霧，作了一場又一場的白日夢。

「李新民，王八蛋，我恨你，這一輩子我都不想再見到你！」予安脫下高跟鞋丟往四樓的窗口，她的眼淚不爭氣地淋濕了星期六的夜晚。

而那個該死的男人始終沒有探出頭，沒有任何眷戀的舉動，予安嚐到淚水的鹹味，這份情感的保存期限就要過了，她知道自己該清醒，只是還想證實那些日子以來究竟留下了什麼，結果，什麼也沒有……

再見了，七年的青春！也許她再也不會花這麼久的時間去愛一個人。

她赤著腳，路上的玻璃碎片割傷了她，血一點一滴地流淌，每一步都走得很辛苦，就讓血流著吧！予安在心裡嘲笑著自己，或許只有這樣，心，才不會那麼痛。

她從精品店裡的玻璃看見自己狼狽的模樣，微笑，她要保持微笑，因爲她並沒有輸。誰要那個男人就讓給她，她不在乎的，還好她只有七年活得像個玩笑，還好她在該醒的時候醒了，還好她沒有嫁給他，還好……但他憑什麼不娶她呢？他明天就要結婚了，怎麼新娘就不是她呢？不是她，她花了七年換得的結果就是沒有結果。

是該好好慶祝的。她，終於離開那個以為會在一起一輩子的男人。

她走進便利商店隨意買了三瓶啤酒，哀怨的眼神就要淹沒了整間店。站在收銀台的男店員十分害怕她是接近凌晨時分一縷闖進的幽魂，在確認她拿的千元大鈔不是冥紙後找了錢，很有禮貌地說了聲：「謝謝光臨！」

然後她看見他拿著拖把拖乾地上的血跡，她對他抱歉地笑著，他趕緊低下頭，不敢直視眼前怪異的女人，的確，剛剛發生兇殺案，宣告死亡的是她那固執的癡心。

她想玩遊戲，一個人太孤單了，她需要有人在身邊的感覺。

她拉開啤酒拉環「遊戲開始！」邊走邊喝著。

「那個該死的李新民住在單號，從單號開始吧，算你們倒楣。」

予安喝一口啤酒按一戶門鈴。

「找誰？」門鈴的另一端夾雜睡意的嗓音。

「請問李新民在不在？」予安帶著酒意大聲地說。

「沒有這個人，妳按錯了！」啪，重重地一聲，對方似是生氣地將對講機掛上。

予安笑得跌坐在地，好好玩，今天晚上注定失眠的她，將會有一大堆無辜的陌生人陪著她，她

是該開開心心地。

失戀萬歲！失戀萬歲！她踮起腳尖優雅地揚起裙襬，單人的圓舞曲一樣精采。

「神經病，按什麼按，沒有這個人！」

「小姐，妳有病啊？現在都幾點了，我們沒這個人！」

他們的反應，讓予安瘋狂地興起捉弄的念頭，她像著了魔般停不下來。

等最後一口啤酒喝完就停止，她對自己說。

單號的每一戶她都不放過，越過馬路，雙號自然也不能倖免地在她的計畫範圍。

予安搖著手上的啤酒「剩最後一口了，喝完就回家。」

她重覆著剛剛一直執行的動作，頑皮的指尖按著有白色按鈕的門鈴。

一聲，兩聲，三聲，四聲……

「誰啊？」

「嗯，請問李新民在不在？」她刻意清了清嗓，想用最甜美的聲音結束遊戲。

「喔，妳是誰？」對方的回答像嘴裡含了兩顆滷蛋。

「我只想知道李新民是不是住在這？」

「李新民？」第二次回答還是像含了顆滷蛋。

「對，我找李新民。」她喝著啤酒偷笑。

「我就是。」對方這下開始正常發音。

「啊！」她嚇了跳，有些清醒。

「我就是李新民啊，妳是那位？」

不會這麼巧吧？予安揉揉眼睛看了下門牌，瑞安街八十八號，不是她剛才對著窗口丟高跟鞋的地方，難道他『也』是李新民嗎？

過度的驚慌果然是醒酒的好方法，她沒料到眞的給她遇上了另一個李新民，幹嘛，老天開這玩笑可一點都不好笑~她完蛋了！

「有事嗎？」對方傳來催促的聲音。

「嗯，的確……有事。」她吞了一下口水，腦子開始策畫落跑的念頭。

「趕快說吧，我明天還要早起。」

「你眞的很想聽嗎？」

「小姐，請不要浪費我的時間。」

「那……好吧，我只想說，叫李新民的人都是王八蛋、大爛人、沒心沒肝的壞傢伙！」予安用盡力氣大喊，希望對方的耳膜夠堅強，不至於震破。

說完，她準備落跑，才剛跨出去，右腳就被另一塊碎玻璃刺得很深，她痛得沒法子走，完了完了，她就只能坐以待斃。

反正伸頭是一刀，縮頭是一刀，她低頭哼著歌，大不了被罵成豬頭，再必恭必敬地說聲對不起，相信對方能諒解的，再也沒有比失戀更令人值得同情。

「喂，三更半夜開這種玩笑，妳不覺得太過分了嗎？」

予安心想糟糕，他眞的追下來了，好吧，她只好認命了。

她回頭給他一個要殺要剮隨便你，反正我跑不掉了的表情。

李新民二號看起來是一個很溫柔的人，他褐色的頭髮配上白T恤在灰色的天空下很醒目，他看起來不像個壞人，雖然她才剛剛要自己習慣從和李新民共有的回憶中單飛。

「妳不覺得擾人清夢是一件缺德的事嗎？」他向她走近。

「A、我想，過了凌晨就是美好的星期天了，一般人都會睡得很晚，所以一定不會跟我一般見識。B、我不會跟你道歉，因爲是『李新民』對不起我！」予安低著頭看著血不斷地從腳底流出，她抿著嘴，忍著痛。

「妳眞是莫名其妙，我根本不認識妳，又怎麼會對不起妳，啊，妳的腳流血了。」

「死不了的，再等一下就天亮了，一切都會沒事的。」

李新民沉默了一下，他記得這個感覺很熟悉，「死不了的，一切都會沒事的。」好像以前也有人這樣對他說過。

有一會兒，予安沒有抬起頭，她心虛地看著地面，畢竟背叛她的不是眼前這個男人。

「妳等等，我上去拿藥吧！妳這樣會破傷風的。」沉默了許久的李新民開口說道。

「不、不用麻煩了……」

「不麻煩，別忘了我就住在上面，妳剛剛按錯的八十八號！」他丟下這句話就上樓了。

這個男人……予安看著他微笑，他，或許是個好人吧！

她隱約記得認識李新民一號也是在一個星期六的日子，她那時候有男朋友卻被班上同學硬拉著去聯誼湊數。

爲了不玩抽鑰匙的老掉牙把戲，自以爲聰明的主辦人想了個新玩法，就是男生排排站，然後女生矇住眼睛來個抓抓樂，抓到哪個男生就跟他湊成一對。

如果說命運注定讓她抓到了李新民，那麼她應該也是罪魁禍首，因爲是她讓他闖進了她的生命。

她讓他走進了她的心，並在男友和他之間選擇了他，她罪有應得，是躲也躲不過的報應，讓她在七年後失去了他。

想想也是，人的心原本就如此善變，只是賠上多年的青春，她是有些不甘願吧！

七年來是她用她心裡渴望的完美不斷地改造他，也是她不斷地和他爭執吵鬧，他才能當個所有女人心目中都傾慕的好男人。是她，都是她，他身邊的女人應該感謝她，把辛辛苦苦用歲月雕琢的完美情人拱手讓出……想到這，心不自覺有點酸。

她用雙手搓著手臂，眞的感到有點涼了，她將身體瑟縮在一塊。

幾分鐘後，他氣喘噓噓地出現在她面前。

「我只找到一罐紅藥水，湊和著用吧，雖然它塗上去還是紅的。」

她沒有說話，難得這個時候還有人關心她。

「讓我來吧，如果妳不介意的話。」他蹲下來看著她的傷口。

予安點點頭。

「痛……好痛！」她哭了出來，眞的只是因爲腳底的傷口嗎？或者是心底的呢？

「不行，玻璃刺得太深了，這裡燈光太暗我看不見。如果妳不介意，我揹妳上樓擦個藥，然後拿雙鞋給妳。」李新民把她的腳放在他暖暖的大手上。

予安用手抹去眼淚，這個男人可以救她脫離現在的困境吧，她咬著唇，止不住淚水。

「嘿，別哭，別哭。就讓我揹妳上去吧！」他看著她，有些手足無措。

她哭泣地像個無助的小女孩，需要有人憐憫。

「來吧。」他轉過身對她說。

爲什麼僅有一面之緣的陌生人卻強過那個在她生命中佔有將近三分之一的男人呢？她猶豫了一下，用兩隻手圈住他的脖子。

她的胸靠著他的背，她應該要感到不好意思的，但是她沒有。她累了，她想靠在他的背上聽聽他心跳的頻律。嗯，跳得有點快。

她應該還算漂亮吧！至少從她懂事以來，追求她的人不曾間斷過。

有時候她甚至和他們玩起追逐的遊戲，不管是有形的還是無形的。在愛情裡，她絕對是個偏執的挑食者，她只想愛她自己愛的，不管別人之於她曾經付出過多少。

所以，她常常跌得很痛，卻總有自己的方式復原。

但要花多少時間呢？這一次要花多少時間才能恢復到從前的自己？

她也不知道，除非，她可以快點愛上另一個人，另一個讓她有感覺的人。

「我家快到了，再忍一下。沒想到妳看起來瘦瘦的，揹起來不輕耶。」

她沒有回答，只是用手圈得更緊。她不想摔下去。

「咳……妳勒得這麼緊是想謀殺我啊，我快窒息了……我死了，就沒有人幫妳擦藥囉。」

「對不起……」她尷尬地說。

他輕輕地牽動嘴角。他對莫名的熟悉懷著歉疚，彷彿這一切是他該做的。

背著他，她還是能夠感受到他的溫柔。

「我家到了。」他打開門，將她放在鵝黃色的沙發上，旁邊有一盞落地燈，暈黃的燈光，讓她的心暖暖的。

他忙著從醫藥箱裡拿出『器具』，彷彿要進行小手術似的。

她看了看四周，簡單俐落現代感十足，很像家居雜誌裡的裝潢，她猜想著他的職業應該有些類似的關聯。

「妳可能要忍耐一下，我要用針將玻璃先挑出來，才能消毒擦藥。」他很認眞地。

「這是屠宰前的聲明嗎？都隨你吧，請不要客氣。」她兩隻手抓著沙發就定位。

當針刺進去的那一刹那，她大叫，接下來的事她都不記得了。

她、她竟然昏過去了！叫聲之大把李新民狠狠嚇了一跳。

這女孩！不知道的人還以爲我三更半夜在幹什麼呢！

李新民幫她仔細清理傷口，規律的動作讓他不自覺地陷入以往的記憶……

他記得他曾經偷偷愛過一個叫作莉莉的女孩。他記得他在她的生命中只是扮演『張老師』的角色。

她不曾愛過他的，他一直知道。只是有些事不到黃河心不死，所以他從不曾放棄。

當血腥的記憶從空氣中滲透，他聞到了莉莉在跳樓之前，關於愛的無奈。

什麼樣的愛情值得用生命去交換？當時的他蹲在她的遺體旁膽怯地啜泣。

他救不了她，也救不了自己啊！

那麼，他可以救眼前這個女孩嗎？倘若一切還來得及……他牽了牽嘴角，望著女孩的睡容，他心想，或許自己這個友善的陌生人能爲她做點什麼吧！

遠遠地有個男人背向她，她看不見他的表情，但他的聲音她很熟悉。

「我愛妳，不過我們卻不適合生活在一起。如果說一個相愛一百分相處五十分，和一個相愛五十分相處一百分，我寧願選擇後者，至少我可以多愛我自己一點。」

「不公平，那七年裡我付出的又算什麼呢？」她隱約感覺到她還是哭了。

「妳只是一直用妳以爲的方式來愛我，卻從來不問我，那是不是我要的。」男人低沉地說著。

「但我該怎麼停下來呢？愛一個人不是你喊停，我就能停下來的呀！」她跑過去拉住他的衣袖。

「但不停下來，我們都會粉身碎骨……」男人的臉看不清楚，但是臉上的淚光很刺眼。

「新民……」她從令人窒息的夢中醒來，一身冷汗。

她拿下放在她額頭的毛巾，星期天來了，他和她就要變成兩條平行線，開始新的生活。

一旁察覺她已醒的李新民二號拿著早餐，給了她一個燦然的微笑，「妳醒了。」

「嗯。」予安虛弱的朝他點點頭。

是的，她該醒了，當飄著細雨的星期六，把過去淋得濕透發霉。

他和她的回憶，他和她的夢想，還有他們共有的青春歲月會像泛黃的膠卷，再也洗不出清晰的照片，然後呢，她要開始照新的照片，跟另一個人。

「想不到妳會來。」李新民看著她，眼裡有說不出的驚訝。

「我是想來確定我的男人是不是眞的找到幸福了？」予安特地挑了他們第一次約會那件露背的長裙，她把長頭髮紮成馬尾，就像很多事改變，很多事不曾改變，她有很多話想說，卻會將它一直放在心底，那是一種專屬他們之間的默契。

「想通了？所以願意原諒我了？」李新民側著臉，不敢面對她。

「我一直到今天日出以前都還恨著你。因爲你一個人幸福了，而我卻要承受兩人份的孤單，不公平。」她走到他身邊，把一封信塞到他的西裝口袋。

「小安，妳眞的不明白嗎？愛情讓我得到妳，卻讓我失去我自己。越在乎，越容易失去。我和妳加起來卻不等於幸福。悲哀的是，我從另一個女人身上，找回我自己。」李新民視線轉向他的新娘，她滿足地坐在她的位子上。

「所以，如果我暫時得不到幸福，那麼請你一定要幸福。因爲這樣，我才會心甘情願地和你分開。乾杯，我們的新人生。」予安走過去看著新民，一口把酒喝完，酒杯瀟灑地丟出去。

「小安……」李新民望著予安，久久。

給曾經深愛過的新民：

記不記得，你在大四那年為我寫的那首歌？

早知道有天會分開，早知道愛情不長久，早知道妳和我一定會有個人愛的比較多。早知道永遠不存在，早知道我們終究會孤單，早知道妳和我一定會有個人愛的比較少。這些都在我的心底，我早就知道了，知道我們將不曾屬於彼此，即使這樣，我還是愛妳，願意愛妳，就算相愛的時間比日出還短，就算剩下的生命是永夜，這些我都知道了，我還是愛妳，願意愛妳。

現在我把這首歌送給你，當做送給你的結婚禮物。一切都過去了，我們都要好好生活。我不愛你了，所以不恨你了。

p.s.：我早知道會這樣，還是不後悔愛—過—你。

試著去愛別人的予安

他收起那封信，收起他們的過去，好好地把它放進口袋裡。

「請問李新民在不在？」

「喔，請問妳哪位？」

「李新民在家嗎？」

「找他有事嗎？」

「嗯，的確有事。」

「快說吧，別浪費時間了。」

「我要問他，在樓上窮磨菇啥？」

「小姐，我們要送喜餅給妳的親朋好友，總要給我點時間穿得體面一點吧！」

「我限你十秒內馬上出現在我面前，否則後果自行負責。」

他氣喘噓噓地，「妳怎麼老是喜歡玩這種無聊的遊戲！妳可以先上樓等我的。」他擦著汗，好不容易用髮膠定型的頭髮，又塌了一角。

「一年來我的技術越練越好，我幾乎都能從一樓將高跟鞋丟進你家了。」

她心滿意足地看著身邊的男人，一個相愛五十分相處一百分，卻可以每天加分的人。

她知道她可以用一輩子的時間試著去愛一個人，或者用一輩子的時間學會遺忘，然後，她可以繼續跟『李新民』共生下去，過去、現在、未來。

「妳一定得當赤足大仙才滿意嗎？住在這裡的鄰居每個人都認識妳了。」

是那個飄著雨的星期六，是那個無厘頭的惡作劇，她走進了他的世界。

不管他願意不願意，總在她按完他家的門鈴後，從對講機聽見她哭泣的聲音，他不能不管她，不能不理她，他害怕惡夢就像無數個夜晚糾纏的詛咒，再次發生。他要看好她，要知道她好好地活著，雖然也許同樣地，她不愛他。

但是他知道她需要他。

需要會變成習慣，終會日久生情，他會緊緊地牽著她的手，不放。

不放，所以當她玩笑似地說著：「我們結婚吧！」他便直覺這是對兩個人最好的結局。「好啊！」他回應著，他終於能從惡夢中醒來。

「那好，喜餅就從這邊先送吧！」

「啊？」

「啊什麼，再不走小心我用高跟鞋丟你喔！」

「好，妳說什麼都好。」

予安沿著瑞安街一直走、一直走，她把手停在有白色按鈕的門鈴。

她刻意清了清嗓，想用最甜美的聲音劃下句點。

「請問李新民在不在？」

「請問妳是哪位？」

「他在嗎？」

「有什麼事？」

「一樓有他的信件。」

「包裹？喔，好！」

他跑得氣喘噓噓，到樓下只看到一盒喜餅跟一張喜帖。

新娘　陳予安

新郎　李新民

定於星期天舉行結婚典禮敬備囍宴

時間：下午六時三十分來喝喜酒

他看著看著真心地笑開了，「小安，妳的老毛病還是不改，一樣挑食，妳曾經愛過的，跟要陪妳過一輩子的都還是李新民啊！我不能給妳的，但願他能給妳，妳要我保管的幸福，現在終於可以把它還給妳了，兩不相欠。」

眼角滑下的，是只能在記憶中回味的過往吧，李新民握著喜帖一樓一樓往上走回現實。他走進家門，就會遺失他和予安之間殘存的愛情，從今以後再也喚不醒了。

「新民，剛剛按電鈴的是誰啊？」他的妻笑盈盈地從廚房走出來。

他用手指輕輕劃過喜帖上陳予安的名字，笑著回答：「一個最有資格得到幸福的老朋友。」

「好巧，新郎也叫李新民呢！」

網路笑話

不當支出

某大公司老板巡視倉庫，發現一個工人，坐在地上看漫畫書。

老板最恨工人在工作時間偷懶，便問：「你一個月掙多少？」

「一千。」工人回答。

老板立刻叫旁邊的職員給他一千元，並大叫：「拿了錢給我滾！」

事後老板問職員：「那工人是誰介紹來的？」

職員說：「他不是本公司的人，是其它公司派來送貨的。」

「愛情夢幻」

文◎谷荷米

雖然愛一個人不就是希望對方幸福快樂，不管讓他離開後會不會活得更開心，至少給對方一個機會。可是，有幾個人真能放得了手呢？你可以選擇變心，或者像我一樣，永遠記住這一切……

這眞是一件很奇怪的事。

手腕上的手錶指向七點半，不過，到底是早上七點半？還是晚上七點半？頭很重，暈頭轉向的。眞澄由加暈眩地抬起頭，看到一顆很圓很大的太陽嵌在藍得透明的天幕上。啊，既然有太陽，那應該是早上七點半囉……早上七點半！由加瞪大了眼，這時間，應該還在搭地鐵上學的途中才對啊！然而，奇怪的是，放眼望去的景物卻和身上的學生制服很不協調——正確地說，四周一個人也沒有，不過卻有很多奇怪的建築物，感覺像是希臘、羅馬之類的古文明遺跡，可是，怎麼醒來就在這種怪地方？難道是愛麗絲夢遊仙境嗎？還是像回到未來一樣的時空旅行？哇噢！眞刺激！由加的臉浮現笑靨。

「妳迷路啦？」背後忽然一個男人的聲音傳來。

這句話讓由加覺得詭異萬分！全身的寒毛都豎了起來。原因是，這句話聽起來並不是熟悉的日文，而是一種奇怪的語言，嘰哩咕嚕的，但由加竟然聽得懂！

「妳叫什麼名字？聽得懂我說的話嗎？」棕髮碧眼的男子略微彎腰，對由加笑了笑。

男子長相俊秀，有著她一向著迷的外片男主角般的英挺五官、健碩的體魄和明朗的笑容。紫絨的上衣、蔚藍的披風讓他渾身上下散發乾淨俐落的感覺，他的年齡看起來應該不會超過二十五歲，由加偏著頭推論著。

「眞澄由加……」由加習慣性地用日文說著，男子聞言，精雕細琢般的眉宇皺了起來。

「妳是外國人吧？和朋友走散了嗎？」似乎察覺到由加臉上的不安，男子往後退了一步，他笑得很瀟灑，兩隻修長的手伸展開，示意她不要慌張。「尤里安，我叫尤里安！」他拍了拍由加的頭，然後指指自己，溫和地說。

也許是尤里安一臉的誠摯和嘴裡不停歇的奇怪言語，所以雖然他說的每一個字由加都聽得懂，但夾著恐懼和說不上來的情緒，讓她一時間忽然笑了出來。在尤里安愕然的表情下，由加只得一個勁兒地猛點頭。

「聽不懂還亂跑，小心遇到壞人被當作奴隸賣喔！」尤里安一邊保持微笑一邊抱怨著。「我今天是走什麼運？這下子還要不要管妳啊……」

他似乎不知道我其實是聽得懂的！由加在心裡努力憋著笑。原本她還一臉哭喪，擔心回不去原來的世界，不過現在，由加安慰著自己，應該只是做了一個夢吧！夢終有醒來的一天，夢醒了就好。

她暗自決定繼續裝作聽不懂，想看看這個尤里安會帶自己到哪裡去。肚子有點餓，嗯，先吃東西好了，不知道這個怪地方有什麼好吃的呢？

由加比了比肚子，嘴巴一張一合地對著尤里安表示。

「小姐，我也還沒吃飯耶！」尤里安眼尖，明明看到她的動作了，竟然還避過頭，假裝左右張望著，一臉笑意地嘟嚷著。

果然，媽媽說過，好看模樣的男人都不可靠！由加在心裡數落著尤里安。算了！難得作這種超現實的夢，我可要好好玩一玩，要不然等一下夢醒了，又是一堆模擬考和背不完的書，多悶啊！

打定主意，由加便往右邊走去，右方遠處有輕煙冉冉上昇，還有遠颺的旗幟，好像是市集，那裡一定有吃的才對。

「別、別亂跑啊，小姐！」尤里安老半天才察覺身後的由加不見了，急急跟上來。

這裡的空氣眞好！雖然太陽很大，吹在身上的風卻是清涼的，漂亮古老的建築物讓由加覺得通體舒暢。一溜煙衝進市集，第一眼看到的是大鬍廚子鋪，鋪上販賣著一種奇怪的麵包，由加伸手抓了一個便往嘴裡塞，有點燙口。她隨即鑽入人群裡，反正是作夢，不用付錢，當然更不必管什麼形象啊！

這奇怪的麵包咬開，裡面大部分是像番茄醬般的稠料，軟軟的馬鈴薯泥塊，加上硬硬的烤瘦肉，到底什麼肉她吃不出來，反正熱呼呼的，好吃極了。

「這個、這個和……那個！」由加沿路都笑得很開心。

身後的漫罵聲一路漫延開，由加身手矯捷，不過幾分鐘就揣了各式稀奇的食物兜在懷裡。市集裡的人都穿著奇怪又特別的裝束，像個大型化妝園遊會，由加更加肆無忌憚地撒起野來了。

「妳身手眞不錯啊！」就在她盤腿坐在有漂亮雕像的水池邊大啖美食時，尤里安再次出現。

「聽說許多外國遊民到我國都淪爲小偷和娼妓。」

塞了滿嘴食物的由加聞言忍不住轉頭看向尤里安，「我才不是什麼外國遊民！」她又塞了一顆烤栗在嘴裡津津有味地嚼著。

「現在妳還只是個小偷兒，會不會哪一天不幸淪爲娼妓？」尤里安沒有看她，但由加側過頭看到他的眼中滿是同情，語氣也盡是憐憫。

「你詛咒我哇！心腸眞壞！」由加瞪了尤里安一眼，可惜她不會說他們的語言，不然早就教訓他了……由加抗議似地又塞了一口炸洋蔥圈。

「妳在罵我嗎？眼神歹毒喔！」尤里安撫了撫由加的頭說著。「第一眼見到妳時，妳的眼神裡全是迷亂和慌張，可是妳忽然又笑了。眞是個奇怪的小傢伙！」

尤里安的眼神看向她，又說：「在這個地方，想要自立更生並不容易，我會盡量幫助妳，妳自己也要小心點，知道嗎？」尤里安看著由加又現出迷糊的模樣，悶悶地嘆了口氣說著。

由加感到尤里安溫熱的手指拂過她的額際，然後迅速地又收回了手。他的眼裡有著不知名的情緒。由加忽然覺得尷尬，只好舉起正在吃的烤串，朝尤里安遞去，她一點也不敢看他。

「妳也知道我餓了喔！」尤里安伸出修長的手掌，忽地把由加刻意轉開的腦袋掉轉回來對著他，然後笑得很開心地在由加的瞪視下，張大嘴把她手裡的烤串吃個精光。

「下一頓我來張羅吧！培太太晚一點會拿出爐的芙蕾給我，很好吃噢，城裡的夫人們都指定要吃呢！」尤里安有些猶豫地緩緩將右手手背湊近由加唇邊，然後快速地把沾在由加唇邊的餅屑抹去。

由加的臉「刷」一下紅了。

「我在蠢什麼啊……她又聽不懂，我在自言自語什麼……」尤里安搔著棕色的捲髮有些懊惱地說著。他的臉在陽光下有些緋紅。

由加忍俊不住，哈哈笑了起來，她笑得開心，冷不防一個白色斗蓬罩身，嚇了她一跳。

尤里安對著她拚命比手畫腳起來，「衣服！妳的衣服太怪異了！先用布包好，等我下工再請阿娜找衣服給妳。」

由加順從地包好自己，一臉乖巧地坐在水池邊，她把皮鞋脫掉收進書包，然後將赤足浸在冷冽的池水裡。幾分鐘以後，尤里安又折返回來，他氣喘噓噓地拉了由加就跑，直到一座鐘塔前才停了下來。

「待在這裡！這裡都是有錢人遊覽的地方，很少有流浪者徘徊，妳躲在這裡比較安全，千萬不要跑出去被人看見！」尤里安的眼睛一直盯著由加，彷彿在確認她懂得了他的意思，才放開她的手，往樹叢裡走去。

就在尤里安轉身之際，一陣風吹起他略嫌破爛的粗布衫，在粗麻掩蓋下的那一塊烙印疤，血紅地突顯在他的腰間，由加看得心中一凜。

那是什麼烙印呢？一枚圖勝和一串數字……好奇怪！由加想著想著，忽然瞥見右方有一行人走來。其中一名女子有著一股與生俱來的貴族氣質，身上東紅色的華服襯著她烏亮的秀髮，讓她碧藍色的眼瞳美麗懾人。女子身旁的男性明顯地討好著她，但她一直保持著高貴的微笑，使得她顯得更加優雅聰慧。由加聽見其中一名同樣身著華服的男子躬身喚那名女子『妲麗．奧維茲殿下』。

不知道爲什麼，由加對於『妲麗』這個名字覺得耳熟，她甩甩頭，有些疲倦地躺在軟香的草地上，人聲漸去，她在一片舒暢中闔上眼。

再張開眼，黃澄澄的太陽剛好斜靠在鐘樓旁，由加揉了揉眼睛，怎麼還在這奇怪的地方啊？哪有人作夢作這麼久？幾點了？由加翻起手腕，卻發現手錶不翼而飛，而原本戴著手錶的手腕上，竟然有著一條血紅的傷痕！由加嚇了一跳，用手一抹，並沒有流血，但是這條血痕卻鮮紅得讓她蒼白了臉，同時一股辛酸的感覺浮上心頭，好奇怪！

一股陰森的詭異感冒了上來，難道這並不是在作夢？由加開始努力回想腦海裡的記憶，卻怎麼也想不起，究竟是發生了什麼事，她會出現在這裡？頭痛欲裂，她失望地皺眉，十分著急。

有人輕輕拍了拍她的背，「吃點東西吧，心情會好一點。」

原來是尤里安。

香味四溢的芙蕾遞到由加手裡，她不自覺地咬了一口，香香滑滑的，滿口芬芳，她吸了吸鼻子、抹了抹眼淚，專心地吃起眼前的芙蕾。

吃完，尤里安又遞了一只木頭杯子，裡面是白白的液體，嚐了一口，味道很像杏仁奶。由加感激地望向尤里安，發現尤里安也怔怔地望著她。

「妳眞的很漂亮。」尤里安說完便低下頭，從懷裡掏出一件女衫，稍微抖了抖就往由加身上比。

「好怪的衣服！」由加一邊抱怨，一邊在尤里安促狹的笑容下快速整裝。

換好衣服後，尤里安帶著由加往皇宮廣場去。今晚是豐收慶，西瓦王下令國慶一週，整個城市的人民都在狂歡。

「帶妳去個好玩的地方！」尤里安難掩興奮地繞過廣場，由加隱隱覺得他們似乎深入皇宮的範疇，卻在這同時，她開始對四週的風貌產生異常熟悉的感覺。

尤里安在一片漂亮的葡萄藤架前停了下來，他深邃的眼眸在星光下閃耀著，由加卻機警地四處張望，不知道爲何，她的手心一直冒汗。

就在他們準備坐在葡萄藤架下的石板凳時，一聲斥喝傳來，宮殿侍衛模樣的士兵發現了他們倆。尤里安抓著由加就要循原路逃跑，但由加卻更大力地把他拉進一處隱匿的石洞裡。

「妳怎麼知道這個藏身處？」尤里安仔細地審視由加表情異樣的臉，以眼神向她詢問。

由加自己也不知道所以然，但她就是曉得此處有個隱密的石洞！可是，明明就是第一次來到這個奇異的地方啊？

看由加混亂地搖著頭，尤里安只得在心中嘆氣。兩個人的呼吸都還未平穩下來，他們很有默契地摀著對方的嘴，豎直耳朵注意石洞外漸近漸遠的腳步聲。

等到再也聽不見侍衛穿著鐵鞋的磨地聲，由加才鬆了一口氣。尤里安朝她扮了個鬼臉，變魔術似地塞了一顆剛採下、紅寶石般的葡萄到她嘴裡，惹得她跟著笑出聲。

日子過得很快，由加幾乎記不清楚這個她一直認爲是在作夢的『夢』，到底過了多久？每天，尤里安都在鐵匠諾頓的鋪子裡工作，除了製作各式鐵器外，還製作女仕用的飾品——除了一般婦女用的黃銅別針、有錢仕女用的銀質髮環、甚至是貴族階級專用的黃金飾物，都有尤里安製品的愛用者。

由加則被安排在培太太那裡幫忙製作昂貴的甜點。每個清涼的夜晚，由加會在飯後溜到鐘樓，一邊聽尤里安講話，一邊撕著培太太塞給她的乾糧麵包，這便是尤里安的晚餐。

培太太待由加極好，尤里安原本還擔心由加不會講話的缺陷會造成困擾，但培太太仍待她如女兒般，不僅供她吃住，還在排斥由加的眾人面前極力維護她。

這天，由加好不容易學會了芙蕾繁複的製作技巧，她興奮地用厚綿布包好兩個芙蕾，想趁熱拿去諾頓鐵鋪那裡，送給諾頓和尤里安當作下午茶。培太太讚許地朝她眨了眨眼，看得出來，培太太也頗得意由加這次成功的甜點製作。

由加悄悄推開鐵鋪的門，諾頓不在，她往尤里安的工作室走去，卻聽到一口漂亮發音的女聲說：「下週我要參加西瓦王的晚宴，金頭冠務必要完成。」

說話的女人，是由加那天在鐘樓前看到的美女——妲麗．奧維茲殿下。

「後天您就能看到成品，殿下。」尤里安回答。

妲麗垂眼看著尤里安，她只使用尤里安打造的飾品，不但如此，起初她僅是每隔一週召見尤里安，後來甚至獨自前來尤里安這間略嫌窄小混亂的工作室。毫無疑問的，妲麗承認自己很欣賞眼前的這名男子，她甚至不只一次地在貴族面前大力讚揚尤里安的手藝。尤里安手裡正在鑄造的標誌，就是多爾欽伯爵甲冑上要鑲嵌的家族徽章。

「尤里安……」妲麗力持鎮定地說，「你會打獵嗎？春季狩獵比賽會在我的封地舉行，奧維茲堡歡迎你來參加。」

「尤里安只是一介平民，貴族的聚會並不適合參加，謝謝殿下。」尤里安略彎身，沉穩地回答。

「是嗎？我只是想讓你們這種平民開開眼界而已。」妲麗翹起她倔強的俏鼻子，癟了癟嘴。

雖然妲麗從小就接受貴族教育，但她仍只是個十九歲的青澀少女，刻意用驕傲來維持的矜持在面對心儀對象時，反而讓她看起來非常地可愛和純眞。

由加的心一陣狂跳，她清楚看到妲麗對尤里安的情感，不知道為什麼，她沒有進去，只匆匆地把芙蕾放在諾頓的工作台上，輕掩大門離去。

又一個月過去，物產節前夕，尤里安神祕兮兮地帶著由加闖入上次那個奇異的花園，就在那藏身的石洞裡，尤里安小心翼翼地拿出一條白絲巾，上面繡有透明的琉璃珠，攤開來後，一尊銀質的小髮冠在月光下閃著柔美的光輝，精緻的花紋讓由加愛不釋手地一直撫摸著，尤里安將這個奇妙的藝術品嵌在由加濃密光滑的髮際，然後看著她說：

「諾頓已經推薦我到漢莫基頓主持一間新成立的鐵鋪，立秋就要動身，我想帶妳一起去，好嗎？」尤里安溫柔地笑著，但由加仍然能感覺得到他的緊張。

也許我本來就是屬於這裡的。由加心裡暗忖。一回神，尤里安已經拉開白絲巾，月光照耀下，白絲巾發出不可思議的光暈，隨著尤里安的動作，安詳地包裹住她。由加閉上眼，輕輕點頭。

當兩人偷偷翻過矮牆打算離開時，由加卻被一個東西吸引住，那是一名在哭泣的老女侍，她哭得極傷心。由加對老女侍蒼白遲暮的背影有著莫名的親切感，她著魔似地往老女侍走去，在她伸出手時，尤里安搶先一步從背後抱住了她，往後急急退去。

但這個舉動還是驚動了那位老女侍，她轉頭立刻看見了由加，然後大聲叫了起來。

「快來人！公主……殿下啊！」

「奶媽……」由加脫口而出，一出口她自己也驚駭莫名，但腦海浮現的記憶在在顯示，眼前這名婦人的確是從小照顧她的奶媽。

尤里安也愣住了，但他隨即抱起由加，準備離去。

「愛斯娜塔……妳到底去了哪裡？」老女侍涕泗縱橫，她伸開雙臂站在原地。

「這是怎麼回事？」由加感到極度錯亂，腦海中卻立刻湧入一份記憶，就像是失去記憶後突然清醒，她抱著頭蹲下來。

尤里安擔憂地望著由加，又望向老女侍。

老女侍衛過來抱住由加，護衛似地怒目敵視尤里安，在下一秒鐘，大批侍衛抓住了尤里安，在被帶下去之前，尤里安仍不斷掙扎著。

此時由加大喊了一聲：「尤里安！你們放開他！」

所有人都靜了下來，尤里安一臉的不可置信，由加摀住嘴慌張地回望。一直不願開口說話的她，著急喊出的這句話，用的是當地人講的奇怪語言——那是由加一直以為自己不會講的語言，如今她卻能字正腔圓、自然流暢地講出來。

西瓦王大怒，下令處決尤里安，因為他綁架了公主殿下——愛斯娜塔。而且更令人議論紛紛的是，尤里安背後的烙印，竟是屬於奴隸的標幟！法令規定，奴隸不只終身為奴，其後代更必須世世代代為奴，不得從事任何職業，也不能擁有私人財產，更悲慘的是，沒有自由——奴隸是最下等的人。

由加開始不吃不喝，當『愛斯娜塔』這四個字被西瓦王叫出口時，失去的記憶又一下子湧入腦海。她確實是愛斯娜塔，西瓦王的獨生女。可是，另一段屬於眞澄由加的中學生記憶卻也同樣清晰，就像同時有兩個不同身分的靈魂住在同一個身體裡！不過不管自己到底是愛斯娜塔或著是眞澄由加，她都不能坐視無辜的尤里安被處決！由加開始絕食抗議。

於是三日後，西瓦王下令，競技場將有一場命運的抉擇——上帝將審判青年尤里安是否有罪。圓型競技場裡將設有兩個柵門，一道柵門後面通往的是自由，一道柵門後面則是通往絞刑台。尤里

安必須選擇打開其中的一道門。

西瓦王

「無論尤里安選擇哪一道門，他都不可能得到愛斯娜塔，上帝會決定尤里安將走上哪一條路。我了解我的女兒，她一定會先打聽好通往自由之門，為了讓這件事走上公平之路，在所謂自由的柵門裡，還有一樣禮物，那是全國最美麗的女人——公爵的女兒，妲麗。在這種情況下，愛斯娜塔還會讓尤里安選擇自由，讓妲麗和尤里安得到幸福快樂嗎？我很好奇。」

愛斯娜塔（真澄由加）

「妲麗是和我從小一起長大的玩伴，她是個有魅力的漂亮女人。雖然不願眼睜睜看尤里安被處死，但是……要我接受尤里安和妲麗在一起重新生活，我做不到啊！一想到過去的點點滴滴，就痛徹心肺……雖然愛一個人不就是希望對方幸福快樂，不管讓他離開後會不會活得更開心，至少給對方一個機會。可是，我就是做不到啊！我寧願尤里安只屬於我，他死去，我也會追隨他。」

老女侍（愛斯娜塔的奶媽）

「公主殿下已經憔悴不堪，我好不容易才得知，棕門是通往絞刑臺，紫門後面則站著妲麗。公主殿下一夜未眠，天將破曉時，她交給我一張漆封好的皮紙，要我交給尤里安。」

審判日來臨，由加坐在看台上，全城的人都湧入了競技場，西瓦王握著女兒早已冰冷的手，一言不發看著前方。尤里安站在滾著黃沙的沙地上，神情十分憔悴，但他的眼神是堅定的。台上的由加看起來比尤里安更虛弱，當西瓦王扔下右手所執的紅布時，全場靜默著。

由加熱淚盈眶，「再見，尤里安，我永遠不會忘記你。走過紫門之後，你可以選擇變心，或者像我一樣，永遠記住這一切。面對愛情時，我們的機會真的不多……不過，愛一個人，即使是不能擁有的時候，愛仍舊能持續下去……」她閉上的眼睛，止不住的淚不停落下。

紅布落地，尤里安抬頭深深望了由加一眼，他的右手緊握住由加最後給他的皮紙。「由加……」他吐出這個名字，用的是生澀的日文艱難地開口，尤里安還記得第一次見到由加時，她說的怪異語言，以及她臉上浮現的可愛笑容。

尤里安緩緩地作了選擇，走向棕門——那是通往絞刑台的門。

尤里安

「愛斯娜塔，妳要我打開紫色的門，我相信妳為我選的，一定是自由及妲麗，因為妳是個溫柔的人……也許選擇紫門，我這一生仍有愛妳的空間，我相信我永遠不會忘記妳；但是，不能和妳在一起，我選擇的是死亡。」

就在尤里安打開棕門的那一刻，由加只覺血往腦充，四周景物開始旋轉，而且越轉越快！

「由加！」著急的婦人垂著淚擔憂地望著她。

「媽媽……」由加一臉蒼白，她低頭看見自己的手腕上纏著白繃帶。四周仍然在旋轉，但是她立刻就發現到，這裡是眞澄由加的世界——日本。

「妳怎麼這麼傻要選擇自殺？妳還小，他不再愛妳，就忘了他。讓他走，這樣妳也會獲得屬於妳的幸福啊……」母親心疼地擰住細白的拳頭，「過去就好，沒事了！」

由加轉開頭，她想起了她一直記不起來的事——吉川冷漠要求分手時的表情、明美苦苦哀求她成全的臉，還有自己尋短見那一刻的心如死灰……

尤里安深深凝視她的表情浮現在眼前揮之不去，尤里安堅定走向棕門的那份決絕讓由加心膽俱裂。怎麼會？她明明在皮紙上寫著要尤里安選紫門啊！她以臘封後才要奶媽親手拿給尤里安的！雖然很痛苦，但這麼做，尤里安就能從奴隸的悲劇宿命裡解脫，尤里安最想要的，應該是自由啊！

尤里安眞的死了嗎？也許命運會在最後一刻成全這對苦戀的情侶，也許西瓦王暗地裡另有安排……也許，都是也許了。

由加傷心地哭了起來，癡情的尤里安為了不能自由的愛情殉死，而她卻為了一個不再愛自己的人輕生！

活著其實就有無限的可能，由加忽然懂了。

尤里安啊，這就是你想告訴我的嗎？

就在那點滴支架邊，有條白芒芒的絲巾飄動著——那是尤里安送給她的幸福，不論是在哪一個世界，由加知道，她又再度得到了勇氣，那是追尋和珍惜愛情的力量。

網路笑話

工作

六歲的小芳粉可愛，常常被班上小男生求婚。

有一天，小芳回家後跟媽媽說：「媽咪！今天小強跟我求婚要我嫁給他耶！」

媽媽漫不經心的說：「他有固定的工作嗎？」

小芳想了想說：「他是我們班上負責擦黑板的。」

「電子情人」

文◎水晶

當致命的吸引力找上門時，或許就是厄運的開始……

她第一次在自己的丈夫和孩子面前有了祕密。

那是個不經意的閒散週末午后。像往常一樣，她獨自把孩子哄睡，筋疲力盡地倚在床頭守護，不知不覺看完了一篇雜誌上的連載小說，一時興起，依妹兒了一封信給那個作家。

作家回了她一封不短的信。信中有對她建議的肯定、聰敏的稱許、及對雙方眷村成長背景相似的欣喜。信中兩個對她的問題，和一個收聽他主持廣播節目的邀約，加上信末希望能再接獲來函的語句，讓她第一次從心底發生了如此渴迫的期待，回函傳送後她一有空就連線收信，終於在三天後收到有新信的訊號。

信中談著共同喜好的民歌時期歌曲、武俠境界的懸奇瀟灑，她引用早期施孝榮的歌曲《俠客》爲古龍小說下註腳，恰巧那是作家大學時最愛的歌之一。

作家從未明講他的年齡，但年齡對她而言並不是障礙，她的父親就比母親年長十六歲。小時候父親坐在桌前辦公或讀書時，幼小的她總是乖巧地坐在眷舍加蓋的廚房門坎上等待，等到父親工作告一段落站起時，她嬌小的身影便顫巍巍地撲上去要他抱。只爲了這輕輕一個擁抱，她可以耐心地、無怨無悔地等待一、兩個鐘頭。

她把這種心情轉移到作家身上。安安靜靜、無怨無悔地坐在桌前，癡癡等著他百忙中的回函。

作家的專長並非小說，他擁有大眾傳播博士頭銜，和一些專業的經典著作。目前旅居國外，在大學擔任客座教授並主持華語廣播節目。

信裡說他大學時是籃球校隊、練少林拳，因工作旅居國外時酷愛打靶練槍法等趣事，以及下圍棋、演話劇、參加辯論賽的豐富經歷。她在腦海中編織了一個允文允武、瀟灑無礙的奇男子形象。她的想像與事實相差並不太遠。她從他的著作裡看到他早年的漂泊傳奇，也找到一些不是很近期的生活照，而能一窺作家的玉樹臨風。

作家曾向她要照片。她一向知道自己在這方面頗有優勢，也樂於落實自己在作家心中的分量，便選了兩張相片依妹兒給他。

作家又託她找施孝榮的《俠客》，她不明白以他的人脈，爲何需要她的幫助，卻也興沖沖地找了又找。

她的生活圈十分狹小，除了上班之外，出個門總要攜兒帶女的。找CD也是全家逛百貨公司時，在附設的書店音樂屋中偷偷尋得。當時丈夫似乎頗覺奇怪，卻也用不以爲意。

當作家說他好久沒照相了，她就動念畫了一張人像，來給他一個驚喜。郵寄CD之前，她興致勃

勃地賣弄了一下久已塵封的美術才能，用大學時買的英國水彩紙，和她育兒前學畫剩下的牛頓水彩顏料，繪了一張作家的滄桑小相一併寄去。

她又一次以她無人欣賞、擱置冷凍而蒼白的冰雪聰明撼動了他。

在走入家庭之前，她也曾有一段豐富多變的大學生活。演話劇、辯論賽曾是她的生活重心，她也曾是游泳校隊。

兩個如此相似的聰明人，在惺惺相惜之際，她確知有點什麼不平凡的東西在她心中發生了。

作家對她的看重使她有些飄飄然。他說：

「妳對我的小說提出的建議很棒，只是我現在全力衝刺廣播節目，暫時無暇顧及。節目可能會調到尖峰時段，等節目穩定了，我一定會為男女主角重逢之前的遭遇補白，或許我們可以合作？」

她對他的輝煌過去羨慕不已。對自己的放棄夢想蟄伏居家隱隱不甘，她說：

「天涯飄泊，需要很大的勇氣吧？午夜夢迴，情緒如何排解？

我一向就是太因循，不勇敢。當初大學聯考選系時，父母以新聞界競爭激烈，很難一輩子不被擠下來為由，激起我的自卑感，選擇了安逸的公務員生活，讓內心深處躍躍欲試的不安分因子，化為我在戲劇與寫作方面的不斷嘗試。」

他說：

「很enjoy寫信給妳的感覺，頻率相同，談什麼都融洽。

選擇以一張張票根為家的生活，不見得是勇敢的表現。一半是想把萬水千山走遍，一半是逃避一成不變的上班族生涯吧！

照片中的妳清秀明豔，眼神認真執著，像是剛出社會的新鮮人。妳看過我書上的照片了。我的眼神需如何對待？妳說呢？」

她答：

「你的眼神須互惠對待，可以真心換真心。很喜歡星期一到五，因為沒睡著的話，可以透過網路收聽你的節目，感受你的真誠可親。週末兩天總覺太長，因為沒有你的聲音，通常也不會接到依妹兒。」

他們的筆談漸成爲彼此的生活重心。即使忙碌如他，有時一天仍通上兩、三封信。

她問他是否感情世界如書中主角一般。

「妳問我可曾轟轟烈烈過，我真不知如何回答。還是老實回答吧！我轟轟烈烈過好幾次，但沒有一次有好結局。我想，大概問題出在我吧。和我在一起的女人，似乎都沒有好下場。

妳聽出我聲音裡的滄桑，但或許永遠也不會了解我內心的滄桑。人生有時是很無奈的，我常希望腦子裡長個什麼東西，就給了我停止滄桑的藉口。」

他在信中隱隱透露想見她的意思。她看出了便點破他。

作家的回信很短。氣氛低迷。

「很想告訴妳『歡迎訪美』，但我不能，這可能也是心情不好的原因之一吧。有些事，真不知道該不該對妳『說清楚、講明白』，聰明的妳一定已經知道我在說什麼了。

不要讓我的低潮影響妳，好嗎？（我知道我很討厭。）

祝妳　夢美事圓」

她推測他已婚，就坦然把自己家庭情形相告，並轉寄了一個網路上看到的圖形，圖中神奇地以亂碼排出「我好喜歡你」五個字。寄了兩次才成功。

回到家上線後跑出有一封新信的訊息，她竟不敢打開來看。主旨「Are you sure?」好像在譏嘲她。她早就後悔上一封信講太多祕密了。

作家的語氣十分眞摯。

「這次我終於看到妳依妹兒來的圖案了，神奇的五個字，是妳要說給我聽的？還是只是逗著我好玩的？還是我太自作多情？

妳真是冰雪聰明，一下就知道我在說什麼，而妳也先說了妳的狀況。我感謝妳說的遺憾未能早些認識，也感謝妳對我的期許及關懷（還有對我節目的。）

妳突然出現在我的生命裡，又那麼特殊、投緣，當然會有影響，但妳不是困擾我的主因。

妳說我的聲音會讓人上癮，妳的依妹兒又何嘗不是呢？

我困擾的主因有好多個，but I'll keep them to myself. Don't want to bother you with my frustrations. You don't deserve them. You deserve sunshine, smiles and happiness.

但是，妳這小女子又有啥事煩心？

夜已深，我要休息了。祝妳　夢美事圓

PS. 妳真的像那五個字所說的嗎？」

她迅速回覆：

「那五個字並非我所寫，卻也說出了我的心思。你看了若無同感，我可以假裝是奇文共賞的。

猜心思是很美的。真話想聽怕聽，欲語還休，卻道天涼好個秋。若能讓你上癮，我多寫幾封又何妨？

四個問號，加上主旨共五個。依你書中所提的圍棋推論法，代表問的人受寵若驚，怕只是一場空歡喜？或是表示他很在意這個答案？

中國字真好玩，喜歡到了就歡喜。歡喜與哀愁總是相伴隨。

你又是怎麼想的呢？換你說了。坦白從寬，抗拒從嚴。」

作家技巧地答覆：

「我的答案，與妳相同。這算坦白還是抗拒？妳要從寬還是從嚴？」

她當初選對象十分理智。她的丈夫是依身高、體型、學歷、脾氣，一項項評比而出線的。轟轟烈烈的情愫對她而言，只是小說裡不可能出現的幻想場景。

對渴望江海浪濤衝擊的鯨而言，乾涸平淡如死水的夫妻之情，是不能承受之重；而明珠暗投、美玉蒙塵的主婦生涯，又是不能承受之輕。

作家是走過滄桑的人，說話向來保留三分。她喜歡這種留白的想像手筆，像大師手筆的國畫意境。

每夜她往往偷偷起床戴上電腦的耳機，連線收聽大洋彼岸廣播中作家富於磁性、彷彿北國男兒的豪情嗓音。

當公務員的她，兩個月後可以有難得的九天假期。爲了房貸，自結婚以來她不曾出國旅遊。而她猜想對她頗覺虧欠的丈夫，繁忙的工作應是無法走開。或許她可以單獨到大洋彼岸陌生的城市一遊。

很多事都可能發生，也或許什麼都不會發生。或許見了面她會知道自己想要什麼。她才知道自己人生的天平上，哪一端分量更沉？

兩人的筆談因這即將來臨的會面變得充滿暗示。她以遙遠的吻在依妹兒中祝他晚安，他問她，「Which you will fulfill when we meet?」，而她反問他，「What would you like to get from me, one night sex or my heart?」

作家以第三人稱的筆法，假託朋友的故事，說出他第一次婚姻的破裂，和現在爭執不斷的婚姻。並問她會愛上這樣的人嗎？

看著依妹兒主旨上怵目的「妳會愛上？」幾個字，她面色潮紅、心跳加速，幾天都昏昏沉沉無心吃睡，本就穠纖合度的她，變得更加不盈一握、楚楚可憐。

她一時衝動，以專欄讀者投書的筆法，寫下了她與丈夫間長久以來的不協調，坦然將自己變成一本攤開的書。

而作家卻並未將自己的私密說得相對的多，反而頗有疑慮，害怕這是一場沒有結果的狂戀，而他是一個有狂戀傾向的人。甚至兩次表示，擔心她只是在玩弄他，以填補生活空虛。

一個似乎想追求永遠，又期待又怕受傷害的男人，激起了她母性的保護欲，想讓他在她的懷抱中找到天堂。

在電腦螢幕前，說出心底深處不爲人知的祕密是如此自然。而這些祕密在對方心中所引起反覆繞樑的迴響，更足令人回味三日。

在虛擬的世界中，兩人都忘了現實的存在。

他忘了他同年的妻，和一雙叫他Uncle的繼子。她忘了她善良老實的丈夫，和一雙幼小可愛、俊美如天使的兒女。

丈夫或許開始察覺了些什麼。

一直吃苦耐勞、就算沒有任何休閒娛樂也不曾抱怨的嬌美妻子變了。

她每天避著他上網收發信件、花大量的時間坐在電腦桌前，那是他不懂的領域，他因此而惶恐難眠，感到心慌。

幾次想找她談，卻總拿捏不到分寸，變成干涉和質疑，使彼此的感情更加漸行漸遠。

在收到那封奇怪的依妹兒之前，她與作家的一切似乎如此甜美。他們各自對未來的相逢懷著不同的期待，不排除把目前生活翻天覆地變動的可能性。

她以爲她確信他們之間的關係不會是所謂的網路一夜情。因爲他們彼此的心靈是如此契合，恍如前世約定；又彷彿對方是自己減數分裂時遺留在虛無中的另一個自我。

然而她的以爲，似乎經不起風，更受不得雨。

那封陌生人寫來的依妹兒使她瞬間如墜無底深淵。

陌生人以猥褻的語氣，說他是作家的朋友。既然她願意遠赴異國免費奉獻，當然可以和他在國內免費做，或是要多少錢可以在她的工作單位做。

但這封信更可怕之處還不止於此。

這個下流胚子彷彿看過他們所有的通信，知道她的工作單位，掌握了她依妹兒附加簽名檔上的眞實電話，並聲稱要去找她。

她惶恐萬分，懷疑自己的信箱被駭客入侵，連忙更改信箱並通知作家。

她確定丈夫絕非駭客。上週她才教不會電腦的丈夫基本的Excel表格製作。

她在工作單位一向用Webmail，並且從未在未登出前離開座位。

她未曾懷疑作家那一方發生問題的可能性。

她因那個她認爲是駭客的人惡意的下流侮辱而心如刀割。

當晚她正忙著設立新帳號，並將駭客列入擋信名單時，丈夫忽然出現在她身後，低聲問：「妳到底和誰通依妹兒？」

她一貫迅速地蓋上電腦，丈夫卻說不必。桌上散置的作家著作，足夠讓他猜出對象是誰。

他力持鎮靜地在她身旁坐下，告訴她他多日來的想法。他擔心自己手中妻賢子孝的表象幸福瞬間破滅。他開始不知道自己辛勤奮鬥爲的是什麼。他耿直結巴地連聲說對不起她。他深悔忽視她洋溢的才華，連一篇她寫的文章都擱置不肯看，寧願日復一日看網球賽轉播，或新聞台重複又重複的報導，直到睡著在電視前。他因習以爲常而忘了他曾認爲她是上天對他最好的恩賜。他告解他在前後兩個孩子坐月子期間，因事忙且不喜歡去岳家，任憑產後憂鬱症的她日夜流淚。

他近來已盡量改善和孩子的關係，並分擔家務，想證明他改善的誠意。

她心中不忍，伸手握住他的手，向來溫熱的粗大手掌竟冰冷似經霜凋零的藕。

他說他尊重她的決定，但不願做騎驢找馬的備胎，這是他尊嚴的底限。只求她給他一個痛快。

是死是生，一言而決。

該怎麼一言而決？她甚至還未曾有機會與作家見面。她已兩天沒收到他的依妹兒。上次那封，短得有點不尋常。

不知何故尚未入睡的兩歲兒子，顫巍巍地扶著樓梯攀下樓來，聲聲叫著媽媽抱。丈夫蹲在她電腦椅前，環抱住有一頭柔軟天然捲髮、天使邱比特般俊美過人的兒子。父子倆兩對眸子，直勾勾地望進她眼中。

都說兒子精美的五官像她，但此刻看來，父子寬廣如刀刻的高額下，竟有同樣的眼神。同樣地執著困惑，同樣地深深依戀。兒子眼中，更有小動物對飼主般單純的信賴。

她爲之泫然，酸楚滿眶。這份單純信賴揉碎了她的心。

身無彩鳳雙飛翼，心有靈犀一點通。她該早知她雙翼已折。

她伸手抱過兒子，輕聲撫慰他敏感的小小心靈。她不知他爲何深夜大違常情，如此執著地下來喚回母親。這場角力，最荏弱的一方勝出。

明知已註定無結果，她卻柔腸百結，仍悄悄地在辦公室上網收信。

她已將安全性提高到進階，所有非通訊錄的地址一律直接投入垃圾郵件夾。而她的通訊錄，只設了一個地址，一個讓她割捨不下的地址。

垃圾郵件夾中兩封陌生信件再次刺目地驚嚇了她。她忍不住打開窺探。

一個好奇的男子告訴她在網路上被她的照片吸引，上面說徵求已婚性伴侶，來者不拒，天涯海角相隨。男子懷著好奇與不信，想認識這位大膽愛開玩笑的奇怪女子。並問可否打資料中的電話號碼給她。

另一個純然下流的性騷擾信件問她是否免費。

一股腐敗的惡臭倏然侵襲她的神經。這些信代表著一個醜陋恐怖、不可置信的事實。有個深懷敵意的駭客鎖定了她，將她的資料貼在網站上，惡意破壞她的名譽。

她心慌手軟地想刪除那下流的資料，卻不知駭客將它貼在哪裡？一時衝動下，她差點回覆那好奇而友善的男子，想求他告知資料來源，是網路信箱的自動管理軟體阻止了她。電腦清楚地以一行紅字告訴她，如回覆垃圾郵件，等於承認地址眞實存在，會招致騷擾不斷。

當天深夜一點半，她和丈夫朋友般談著理不清的心緒時，一通又一通的無聊電話催命似地響起，又轉移到她的手機，全由丈夫一一接聽。或許是因爲男人聲音，對方都未說話就掛斷。

後來他倆將電話都拿起或關機，以求平靜，並調換手機SIM卡。

在她急需人支撐的這兩、三日裡，她依妹兒多次詢問作家，求證問題是否出在作家的電腦中了病毒，而將她的來信轉寄？卻只得到作家一封簡短的回應：「Hi, I don't know the man who emailed you. Hope everything is fine with you.」未用親暱的稱呼，未署名。

確有轉寄群組的病毒，但那駭客持有她第三封信應作家要求附加的照片。而那時作家的電腦尙未發生那次可疑的中文軟體全掛事件。

中文軟體掛後，中文信變成一堆無法讀取的亂碼，英文流利的他們便不再用中文寫信，而其中再未談及天涯相會的遙遠約定，未附加任何照片檔。

因此作家是認爲事不關己，怕麻煩想抽身嗎？她絕不願相信。她軟弱地堅持他不是這種人。

隔天早上，在她爲作家新設的祕密依妹兒信箱中，有一封陌生的英文信靜靜傳到。

起初她以爲是駭客又追蹤到她而驚慌得胃部抽緊。依內容看來，這位陌生人同樣未加稱謂及署名，直接說「My friend has some questions.」，並請她調查她丈夫是否就是駭客；又說「My friend also had some problems.」，看來，有人讓作家的太太看到了那些熱情洋溢的信件。

這件新消息使她思量再三，也使她相信陌生人是朋友。

她謹慎地判定原始的駭客或許是兩個叫他Uncle的繼子其中之一。

作家曾輕描淡寫地提及他們都已讀大學。此刻這條線索變成主要的推理依據。她有個擅長電腦的朋友曾說，駭客要破解信箱密碼極度困難，更不會無故鎖定某個人的信箱；除非他知道信箱主人大量的私人資料，雙方是同一家人。如果用同一部電腦登入，被侵入的可能性就更大。

她迅速依妹兒給陌生人，告知她的推理。

透過來電顯示的電話，她丈夫已查出騷擾電話來源。而當她回家時，正巧丈夫接到一通不顯示號碼的電話。一個聲音不年輕的女人說，要傳些他應該知道的東西給他看。

丈夫當場就拒絕了。那女人不死心地打遍所有當初她列在簽名檔的所有電話，仍是無效。丈夫分別把電話關機或設為勿騷擾。

她想這女人是誰已昭然若揭。當初是誰的電腦被駭客侵入亦明朗化了。

整件事原本很美很羅曼蒂克。

當月七日，她收到作家最後一封信。主旨是「No more correspondence」，叫她不要再聯絡。冷得不能再冷的語氣。信中稱她為Ms.，並為他所有造成他不愛太太的印象的一切後悔。

「I still love my wife and I regret if any impressions that I do not love her have been created.」

文法很棒的句子。

上個月也是七日，她才收到作家第一封稱她為XX讀友的回信。

一個月的時間，透過一念千里的網路，快速催熟自以為可以生死相許的一場幻情，她古井無波的生活掀起了滔天巨浪，差點兒毀了兩個家庭。

「我那個朋友結婚兩次、現在兩袖清風，一雙子女都與前妻在台北，現在的婚姻很坎坷，妳說，妳會愛上這樣的人嗎？」

「現在，我這英俊瀟灑、心地善良的朋友認識了一位已婚女子，兩人談得很融洽。他很想邀她一起旅遊幾天，以使雙方更相互了解，他也可以多給她一些。但是，他怕這會是一個沒有結局的狂戀。他是那種有狂戀傾向的人。

妳說，他該繼續，還是原地踏步、還是撤退？（但這種事好像沒有原地踏步的，right？）

她是在玩弄他嗎？」

她曾一遍又一遍地看著這些信件，看得臉紅心跳、心旌搖曳。她甚至曾以爲她可以爲他狂奔天涯。

欲將心事託明月，奈何明月照溝渠。

如果作家不是個懦夫，他就是個言論不負責任、拒絕長大的老小孩。

她忽然同情起作家來。

同情他身在自己一手創建的家園中，永遠只有叔叔的地位。同情他放棄第一任婚姻中親生的一兒一女，而在第二次無子女的婚姻中永遠回家像個客人。同情他身處險惡的環境，兩個可能是駭客的繼子，一個齟齬不斷的妻。

他甚至不肯承認信是由他的信箱洩漏出去的，亦不敢追問他妻子得到信件的管道，只是以看到網站張貼打來的騷擾電話是她居住地的Local號碼爲由，把一切歸罪於她。

在她最徬徨時，一直和她站在一起對抗駭客悍婦的勇士，不是她以爲的那個才氣奔放、英俊瀟灑的PHD，而是她溫和老實的丈夫。沒有一絲責備，只是盡一己之責捍衛她。

他竟能不以世俗的標準嚴責她心靈的出軌，而願檢討兩人婚姻關係中眞正問題的核心；以冰冷的大手將她柔若無骨的小手握緊，用顫抖的聲音懇求她給他機會；他竟爲了她勤運動、認眞減肥，意圖改善兩人內在外表各方面的不協調。

駭客的來源仍沒有明確的證據。但當作家不再回信，駭客也隨之消失。

她的家庭生活又回到往日的平靜，彷彿什麼也未曾發生。

丈夫已變得沉靜內歛，時時以情緒複雜的眼光審視她。

她知道他內心翻騰的波濤絕不亞於她，他開始視她如易碎的珍寶，捧在手上，又怕打碎；細細收藏，又怕失去，幾乎不知該如何與她相處。

當他再一次與她靜夜無人，閉門相擁時，她眼中充滿感動的淚水。她爲他的癡心一往心痛，更爲自己刺傷他的男性自尊而心碎，她開始爲他曾被她以爲是過於溫吞的溫柔心折。

深秋的一場驟雨，她和丈夫躲入書局暫避。

當她蜷曲著身子蹲在書櫃前方陷入癡想，思緒又遊走時空時，丈夫走過來輕拍她的肩。她像被抓住小辮子似地不好意思回頭輕笑。

丈夫攬著她細軟的腰肢，她略一回顧，離開了作家作品陳列的書櫃。

回首向來蕭瑟處，歸去，也無風雨也無晴。

無晴無雨，萬般諸法，緣起性空。然而幸福何在？
一沙一世界，一花一天堂。驀然回首，那人卻在，燈火闌珊處。
燈火闌珊處，該是家吧！

功用

幾個七、八歲的小男孩決定湊錢買玩具，七湊八湊之下湊了四百元台幣。
「四百元可以買什麼呢？」其中一位問道。
「我想我們可以去買衛生棉。」另一個回答。
「衛生棉有什麼好？」大夥兒一齊問他。
「我也不太清楚。不過電視上說有了它，就可以爬山、滑水、打球、溜冰，自由快樂沒煩惱！」

NEW BOOKS

□書系／Touch 小說趣 012

□作者／米芮

□出版／高富

□售價／180元

愛情惡行惡狀

主張愛情惡勢力
你可以帶著這本上好的愛情書，陪著你去咖啡座曬太陽、喝咖啡
體會超可愛的愛情惡勢力！

——罹患了愛情適應不良症，併發症有：深情款款的眼神會造成
氣不接下氣；甜言蜜語會使顏面神經抽搐；擁抱則會導致胃痙攣
至腦性麻痺；至於親吻，那恐怕要送進加護病房，進行緊急搶救
打點滴！

而包圍著這個可愛的傷寒瑪莉的人事物有：一個會準點報時的咕
鐘，裡面住了會從樹屋裡跑出來鳴唱而沒有鳥頭的，盡忠職守的
黃鳥；兩個室友，分別為頂著走在時代尖端的麥克風型蓬鬆黑人
的瑪齊，及著有惡女大百科全集，玩弄男人於股掌之間的阿麗，
有三位害傷寒瑪莉戴著大口罩的男主角，外加一隻從沒現身過，
默體貼，還會收發電子郵件的貓頭鷹。

相信我，這場看書會的氣氛一定會隨著書中劇情起伏而熱鬧非凡
甚至，大家還會忍不住順討論起來傷寒瑪莉的戀情結果ㄛ——到
最後，讓瑪莉順利地脫下口罩，過著幸福快樂日子的幸運得主是
呢？什麼？誰說愛情一定浪漫如偶像劇？那我的愛情為什麼總是
我猛打噴嚏！

古靈精怪的e世代個性作家　米芮　著
排行榜暢銷書《惡女》作家 米卡、
MTV音樂台VJ　胡晴雯　熱情推

□書系／Touch 小說趣 010

□作者／麗子

□出版／高富

□售價／180元

老處女的存在價值

二十九歲還是處女很丟臉嗎？
關於愛情，那層薄膜居然扮演著左右了雙重標準的角色。
貞操，是老處女追求幸福的唯一籌碼？
難道這就是老處女的唯一存在價值？
面對三十拉警報，這突如其來的震撼卻有如醍醐灌頂，就像一朵
燦爛盛開的花，溢出遲來的芬芳。
走在一樣的街道，搭著一樣的捷運，在這個生命的街角轉彎，無
遇上的是平凡或不平凡的愛戀，我，依然會有與別人不同的存在
值……

麗子撼動人心的篇章，超逸雋永的愛戀價值，凝在每一個人嘴角
帶著淡淡幸福，而笑。

『老處女幸福定義 = 唯貞操獨尊』？
麗子刻畫了一把尺，開始完全度量老處女的非常價值！

暢銷書「莫咖啡」優質作家　麗子　最新力作！

在愛情的世界裡，我們用瀧里柏的文字相互取暖……

創意Power驚人，文字細膩而精準，酗愛情以維生，用電影的鏡頭和藝術的養分灌溉生活，夜行動物，菸味酒味古龍水味男人味，都市基調，擅長採擷熱戀與失戀的迷亂氛圍，調配成無可抵擋的催情芬多精。

現在起，整個文壇籠罩在瀧里柏的幸福裡。

靠近瀧里柏筆下的愛情，我們會發現滿滿滿滿的感動……

作家鮮活區 瀧里柏

全球華文自由創作者的夢想飛行園地！
讓你360度全方位捕捉最佳的小說盛宴。
我們敞開大門，歡迎您24小時投稿，
來成為《小說族》的新銳作家。

圖◎萬歲少女

關於瀧里柏(Lonely Boy)

瀧里柏很奇特！周遭的人總是搞不清楚他在幹嘛？
也是史上最不像作家的作家！
但是他說：這就是瀧里柏的Style！

短髮、山羊鬍，酗愛情以維生，
用電影的鏡頭和藝術的養分灌溉生活，
夜型動物，菸味酒味古龍水味男人味，
泰迪熊、搖頭電樂、文化痞子、運動風。

國立台灣藝術學院戲劇學系畢，演過電視和舞台劇，
導過CF也唱過RAP廣告曲，
高中出書，大一在補習班教國文，大三在高中教戲劇，
做過許多廣告，當過最年輕的創意總監，
出版過「情事傳眞」「絕對眞情」「天使愛慾」「天使獨行」「愛情炸彈」「贛林響叮噹」「贛林怪怪談」「CRASH 1」「CRASH 2」「愛 小雪」「戀的滴絲故事」「完全樂透手冊」「虛擬戀人」等十六本書，是排行榜暢銷作家，現任亞洲電台DJ。

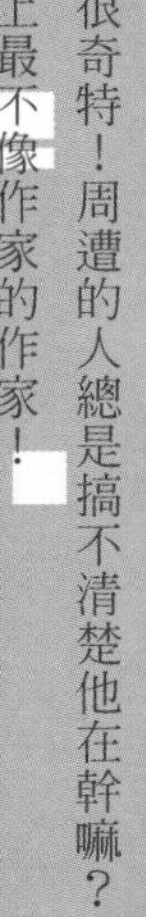

E-mail

文◎瀧里柏．圖◎瘦子貝

突然間，糖和奶精竟忘了適當的比例。
突然間，愛和傷心也忘了適當的比例。

遙遠的距離，讓我失去愛你的勇氣，連擁抱後的記憶，都轉換成淡淡的哭泣……

日本的冬天，應該很冷吧？

也應該下起小雪了吧？

只是不知道你還會想起在台北的小雪嗎？

這些日子以來我們都用E-mail傳遞彼此的關懷，每當我坐在電腦前，你的身影就立刻浮現，在Hotmail信箱裡，只想傳遞我還在等你。

每個夜裡，我總會將火熱的思念壓縮成親切的問候，再將它轉換成文字，希望在遠方的你能用我溫暖的文字取暖。

我汲汲營營地維持著愛你的純正角度，只希望在自己的戀愛情緒範本裡，全部都是想你。

翻著你的照片，假裝你還在我身邊，刻意噴了些你也愛用的C.K.one香水，讓你的氣味充斥在我的房間，在東京的你，會想我像我想你一樣嗎？

你說，在秋轉冬涼的日本，開始下起小雪。

我說，在愛情轉瞬的台北，開始忘了小雪。

台北，下起雨。

認識的那天，也是下著雨。

我躲在家，上網聊天，我的ID叫小雪，你的ID叫到日本來看雪，於是，我們就認識了，在下著雨的晚上。

聊著聊著，你告訴我，你在日本唸書，偶爾會回台北。

聊著聊著，也開始了我們的E-mail愛情。

這些日子以來，我總會守候在電腦前，期待著你的來信，字字句句，都反覆甜在我心裡。

一旦網路忙碌，連不上線，我的心就焦躁如焚。

一旦網路正常，連上了線，我的心就莫名興奮。

台北，下起雨。

你離開的前一天，也是下著雨。

斜斜地滲入肌膚後，有種淡淡的冷。

淡淡地滲入回憶後，有種淡淡的冷。

你和我躲入『陽光。空氣。花和水』，想藉著咖啡的溫度，取暖。

彼此都出奇地冷靜，也好，或許這樣，是別離前的最佳表情。

我反覆思量後，竟擠不出一句適合留下你的甜言蜜語。

淺淺的寒暄，卻深深地烙在心裡。

你說，明天早班的飛機到東京，其實，這是我早在認識你的時候，就知道的劇情，只是入戲太深，難免有些失落的遺憾。

到的時候，打通電話，或寫E-mail給我。

我刻意輕描淡寫地帶了過去，但，你可知道，這是我昨夜熬了整晚的孤寂才選定的話語？

你說你會記住這裡的咖啡，還有我。

突然間，糖和奶精竟忘了適當的比例。

突然間，愛和傷心也忘了適當的比例。

我笑笑，很勉強的那種，沉默了一會兒，喝口咖啡，試圖掩飾我的不安。

咖啡杯明明還捧在手心，而愛卻突然只剩傷心。

順著下嚥的咖啡香醇，也一同吞下了我的苦澀。

東京，遙遠的城市，應該很冷吧？或許和明天的我的心一樣，降到攝氏零度吧？

店裡來來往往的男女，會體會我倆現在的心情？

你試圖挪動你的手來緊握我手中最後的溫存，微冷，而我也試圖用指甲在你的手背上刻下一道月牙彎兒。

希望你記著彼此的記憶……

你喝下最後一口咖啡，暗示我該走了。

而我們的愛又該走了嗎？

第二天在機場，我們彼此沒有哭泣，握著不放的手糾纏著不捨，臉上一樣嘻笑，而我卻懷疑愛會不會因此枯萎死掉？

我們依然通E-mail，可是卻漸漸不再那麼Care。

遙遠的距離，感覺會慢慢疏離。

台北的雨，依舊，我的寂寞依舊。

在機場的大廳，你Check in ，是不是也同時在我的心Check out？

你離開台北後，我還是過我的生活，偶爾會

想你，還是保持E-mail聯絡，

去年冬天，我簡單的準備了行李，想到北海道看雪，你也高高興興地陪了我一個愉快的假期，感覺在剎那中回來了，我握著北海道的雪，而你握著從台北來的小雪，整個世界因爲我們的相遇而下著雪……

然而當我離開日本回到熟悉的台北，卻也回到我熟悉的寂寞裡。

打開Hotmail，你寄了一封信給我，說了一些無關緊要的事。

台北，仍在下雨。

雨，也一直滴滴答答地下在我心裡。

我想念北海道所下的雪。

漫天飛舞的是感動。

眼眶裡停留著你深情的雙眸。

只是不知道你會想念在台北的小雪嗎？

我好辛苦，也好無助。

多少次的夜裡，我問自己這是我要的幸福嗎？我不知道，我眞的不知道。

我一個人走進『陽光。空氣。花和水』，點了一樣的咖啡。

不知不覺想起你，微笑。

不知不覺中，咖啡冷掉。

倏然剪斷愛情的臍帶，我還是不自覺地想起你，畢竟付出的感情早已擴散，擴散到收不回的弧度。

連線，密碼認證。

我在Hotmail信箱中，反覆溫習你和我曾有的一切。

打開每一封信，溫暖微波，我很珍惜。

但還是想寫封E-mail告訴你，我確定，我、不、想、要……

網路笑話

原來如此

蛋架上有一排雞蛋，第一個蛋對第二個蛋說：「ㄟㄟㄟ，你看最旁邊的那個，好噁心，有毛耶！」

第二個蛋也這樣告訴第三個蛋。

當第八個蛋告訴第九個蛋：「ㄟㄟㄟ，你旁邊那個蛋好～噁～心～喔！有毛耶！」

第九個蛋怯生生轉頭看看他旁邊的，結果只聽見：「看什麼看啦！我是奇異果啦！」

村上春樹的聖誕大餐

愛欲與食欲的微妙關係，讓我們從食物中也似乎可以看見自己。

文◎瀧里柏

聖誕，是單身者的冷酷異境，卻是我的尋愛冒險記，剛好，她屬羊，不是個百分百美麗的女孩，卻超愛我的發條鳥，我們在這蔓延浪漫的季節裡，不想聽風的歌，挑了間名爲『挪威森林』的主題餐廳，大快朵頤地舞舞舞出五道關於村上春樹的愛情……

醋漬竹筴魚

酸味，一如妳。

打翻醋罈子就一發不可收拾，妳知道有許多女孩會愛上我，可是妳知不知道，我卻將感情潑灑在妳的心裡？

黑胡椒，有點苦苦的，我知道那天妳哭了，眼淚入喉的滋味，就像黑胡椒，在醋中帶點兒苦，對嗎？

眞是個傻丫頭，我喜歡長髮的女孩，而她是短髮的，難道妳不知道嗎？

一直喜歡觸摸妳洗完澡後糾結的髮，流洩而下的，是一種恣意的浪漫，然後慵懶的抽著菸，很迷情蕩漾，對視的雙眼往往電成攝惑迷戀的鑽石，折射出動人的心扉。

對座的妳，突然把頭髮剪了，我也依然愛著

短髮的妳，很奇怪的答案對嗎？

所以從此之後，妳就四處懷疑我會不會愛上短髮的她們？

我說，盤中裝飾用的兩片月桂葉，就像是你我的兩顆心，依偎在一起。

妳說，我的心是一條魚，雖然被醋醃過，放進嘴裡，但還是得擔心會不會隨時游走。

打從年輕時就不討厭醋，開始戀愛後，我也覺得有人吃醋，是一種美得過火的幸福。

我淺淺微笑，虛榮地炫耀著妳愛我的幸福。

我說，閱讀村上春樹的作品會想喝啤酒，而我閱讀愛情，妳卻是我的紅酒……

妳吃掉最後一口醋漬竹筴魚，告訴我對於愛，妳不會再懷疑。

蘑菇煎蛋捲

想起在大學附近的餐廳，和妳初次邂逅的午餐。

濃濃的奶油香，入口後會有種幸福的溫暖。這麼多年，我們一路走來，分分合合吵和愛，卻也是一種濃得化不開的幸福溫暖。

妳切了一小塊，直接塞入我口中。

是一種炫耀愛情的好方法。

特別在這個華麗的聖誕，千萬不能寂寞，唯有溫熱彼此，才能體驗節慶的奢華感動。

好久沒有吃到蘑菇煎蛋捲了，妳總說要親手做給我吃，但每次說完沒多久就吵架，我也不知道爲什麼，就是一直吃不到蘑菇煎蛋捲。

和妳做愛時，妳總愛開玩笑，說我有蘑菇，也有兩顆蛋，爲何不親手做一道帶有村上春樹風格的蘑菇煎蛋捲？

我笑笑說，妳太頑皮，看我怎麼樣好好愛妳？

妳的窩心理由卻是，要將心交給一雙長久等待的手掌，總得先找個冠冕堂皇的藉口，我的吻遊走、停駐，卻看見妳雙頰泛紅的蘋果滋味。

在挪威的森林裡，因爲蘑菇煎蛋捲而愛繾綣……

洋蔥與青椒炒牛肉

村上春樹認爲這是個少見的單身男子料理。

我們卻熱愛它的口感，洋蔥炒過之後，會呈現透明的光澤，我們吵過之後，也呈現一種心境上的透明度。

彼此更知道用什麼方式相處。

妳告訴我，有一天妳在切洋蔥，想起我們的快樂，嘴角微笑，但突然想起我的花心，卻又不自覺的流下淚，分不清是因爲味道嗆住了淚腺，還是因爲傷心而讓眼淚斷了線……

這道菜的精闢之處在於完成後灑下一點啤酒，淡淡的微醺，卻讓妳的臉頰多了點紅潤。

我屬牛，妳說妳是青椒，而她卻是洋蔥。

我有點尷尬，卻越來越喜歡妳這個冰雪聰明的女子。

妳問我，喜歡的是青椒，還是洋蔥？

我接著說，難道妳沒看到我今天一直只挑著青椒吃嗎？

那旁邊的那些豆芽呢？

妳就當作是暗戀我的女孩吧！

至少在奢華的聖誕節裡，我正努力羅織著和妳的感情。

萵苣燻鮭魚三明治

法式奶油麵包搭配燻過的鮭魚，是一種完美的組合。

我和妳之間，也是乍看之下，完美的組合。我卻一直沒有辦法告訴妳，在我們之間，還有萵苣。

【萵苣】一年生或兩年生草本，成渦漩狀，花黃色，莖葉可食。

而萵苣，是個男的。

他是個高科技上市公司的小開，認識也是一、兩年，在一個Party上，三十多歲，確有著ABC調調，是個健康爽朗的男人，學歷好，家世好，談吐佳，外貌更優，是個極品。

那天他喝多了，我送他回家，沒想到，他胡言亂語地親了我。

好似電擊。

沒遇過這種感覺，他才剛新婚，而我有女朋友。

後來終於明白，原來這也是愛。

從酸澀、微甜的滋味，到纏綿、掙扎的暗夜，我們解構了謊言的愛情世界，開啓了另一座神祕天堂。

萵苣，除非撥開纏繞的葉，否則不見得看見他眞實的心。

今年聖誕，我們各自陪著自己的女人，很嗆的愛情遊戲，對嗎？

萵苣燻鮭魚三明治，讓我們的愛情多變如織。

榛果冰淇淋澆君度橙酒

榛樹也稱爲樺樹，傳說英國人會用這種樹的枝葉編織成頭冠，會給人帶來好運。

而榛果，是不是就是幸運的果實？

如果它是，我願意將它賜給妳。

一直喜歡叫妳寶貝，因爲我一直都很愛很愛妳。

只是不曉得爲何妳總是不相信，我眞的愛妳。

聖誕節的冰淇淋，是一種很舒服的感覺，就像和妳在一起，雖然偶爾吵架，但還是很甜蜜，起碼妳是我最愛的女人……

橙酒甜甜的，就像親妳的感覺。

離開挪威森林，天有點冷，握著的雙手，是種眞實的依偎。

豔紅和碧綠的浪漫邂逅，我和妳擁吻於街頭。

聖誕鐘聲響起，他傳簡訊說想我，我卻在妳的耳朵輕輕說聲：寶貝，我愛妳……

聖誕，是單身者的冷酷異境，卻是我的尋愛冒險記，剛好，她和他都屬羊，也都不是我百分百愛的人，然而都超愛我的發條鳥，我們在這蔓延浪漫的季節裡，不想聽風的歌，離開名爲『挪威森林』的主題餐廳，卻繼續舞舞舞出五道關於村上春樹的愛情……

Why

我們總是在下班後一同在橘子檸檬草用餐，因為你說在愛情中加一點橘子檸檬的味道，會是一種幸福的味道。

文◎瀧里柏

第一節 為什麼我會滑進幸福的天空？

關於感情，有時眞的不是那麼好控制。

偏偏我又是逃不出它枷鎖的人。

一直告誡自己，不要輕易喜歡別人，卻不自禁地打破了這個限制，只是因爲不小心打翻了那杯咖啡。

從香港到台北的飛機，我坐在靠窗的位置，而你坐在我旁邊，翻著報紙。

遇到亂流，我不小心將咖啡打翻了，濺到了你的卡其襯衫。

你對我苦笑，而我頻頻向你道歉。

向空姐要了濕紙巾，想收拾殘局。

而你卻說沒關係，留著咖啡香，也好，你喜歡咖啡的味道，有種流連巴黎的驕傲。

我說，你太浪漫了吧。

你說，這樣才幸福啊。

仔細看了看你，俐落乾淨的短髮，金邊無框眼鏡，稚氣未脫的娃娃臉，略顯壯碩的身材，是一種會讓人舒服的感覺。

你向我遞了張名片，律師，好職業。

你笑笑，只是餬口飯，沒什麼。

飛機緩緩地滑進台北的天空，我卻不知道，

我也會滑進你心中。

你向我要了電話，我笑笑，不太方便。

你問我，要去哪裡，我說回公司，安和路上，你禮貌性地送了我，當我下車後，不自覺地回頭看了看你，竟有種說不上來的不捨……

第二節　為什麼愛情有橘子檸檬草的味道？

我把你的名片，放入名片簿中，卻又忍不住多看了兩眼。

下班後，想到東區走走。

沒想到下樓後，竟發現你捧著花，戴著墨鏡。

傍晚的夕陽微溫，灑在身上，竟有種舒服的感覺。

我不確定你是不是在等我，卻發現你把花塞進我手中。

我說，你太浪漫了吧？

你說，這樣才幸福啊。

於是我們在東區的橘子檸檬草一起用晚餐，你再一次地向我要了電話，

我笑說如果不給，你還會在我公司樓下等嗎？

你說當然會啊。

不怕我拿咖啡潑你趕你走嗎？

你問我捨得嗎？

是啊，這樣風趣幽默浪漫的大男孩，眞的是很難拒絕。

然後我們總是在下班後一同在橘子檸檬草用餐，因爲你說在愛情中加一點橘子檸檬的味道，會是一種幸福的味道。

然而這就是幸福嗎？其實我不知道。

第三節　為什麼我的愛隨著微風而消逝？

還記得說好要一起到香港過聖誕節嗎？

我想你忘了吧？

還記得你最喜歡的歌手小雪嗎？

你說我長得很像她呀！

可是爲什麼愛情會隨著微風而消逝？

還記得你開著車載著我上擎天崗，就著滿天星海、昏黃的月色下，談情說愛；還記得你在我的生日那天，在車的後坐鋪滿玫瑰，載著我到北海岸吹海風，鹹鹹的感動，讓我分不清是海還是淚？

可是爲什麼要讓我在街頭看見你和她牽著手？

那一天，在微風廣場門口，親眼目睹你挽著另一個時髦女子的手，狀甚親密……

不知不覺間，眼角多了兩串斷了線的珍珠。記憶，像電影二十四分之一切格般，排山倒海地包圍我，承受不了後，想逃離這滿滿的人潮。

奔跑的高跟鞋，急促的聲音，像哭泣。氾濫。決堤。

難道這就是你的浪漫和幸福？

我不知道，我眞的不知道。

爲什麼讓我在街頭看見你和她牽著手？

第四節　為什麼我的愛卻換來傷害？

三個人的晚餐，讓心情多了許多負擔。

你說抱歉，因爲我會堅強，不至於太傷。

我笑笑，當愛情凋謝，卻只換來一句她的謝謝，我怎能堅強地說離別？

Tell me why?爲什麼愛你卻換來傷害？

我看看她，時髦的外表下，有著清純而稚氣的臉龐。

難怪，你會想呵護她。

難怪，你會想離開我。

Waiter來來去去，似乎看穿了我們的心事。

我們簡單寒暄，卻句句刺痛我心。

我笑笑，I am ok，don't worry about me！

可是眞的OK嗎？

我吃不下任何東西，看著你抽著菸，其實我也會心疼，你應該是屬於陽光的，不應該像現在充滿愧疚和無奈。

我不知道我在幹嘛？連分手了，還這樣爲你想。

聊點別的好嗎？我故作堅強，只是不想讓你看見我的難過。

她低著頭，不說一句話，我該祝福他嗎？

隔壁桌的情侶開心地笑著，親密地用餐，想當初，我們也曾有過這樣親密的時光，只是現在女主角換人了，而我卻失去了男主角。

我不自覺地玩著咖啡杯，一時失神打翻了，又濺了你一身……

Sorry，這是最後一次，不會再有下一次了。

你笑笑。

我大口的喝下剩下一點點的咖啡。

苦澀。

像我現在的心情，開始下小雪……

維多利亞港的溫柔

文◎瀧里柏．圖◎瘦子貝

「那就在維多利亞港灣埋葬你的傷心吧！」我笑笑，好一個有趣的女孩。

Whenever my thoughts turn to you,
Strange feelings once again ensue.

繁華旖旎的城市裡，我們對愛情毫無免疫力。

一直以爲和她分手後，我能夠徹底地忘了曾有的依戀，卻沒想到仍然斷不了綿長的淡淡思念。

深夜輪迴裡，寂寞充斥著整個房裡，不知道爲什麼？還是撥了通電話給她，

沒有接，寂寞仍然存在著。

第二天，她突然打電話到公司，問我要一起去香港走走嗎？

我猶豫了一下。

也好，也許在旅行的過程中，也許在異鄉的城市裡，我們的感情，能回到最初。

自從她到日本之後，愛的感覺就空盪盪的，說不上來，身旁少了個人，連吃個飯、看個電影，想僞裝幸福的感覺，都顯得遙不可及。

但是不曉得爲什麼，總是一而再、再而三的想起她。

買了機票，我從台北飛到香港；她則從東京起飛。

我起飛時，還帶著我的愛，她起飛時，卻不曉得帶著愛還是依賴。

到了香港，第一天我們逛街，上館子，跳Disco。

愛，似乎回來了。

心，開始悸動了。

第二天晚上，回飯店後，她接到電話，說了幾句日文，我聽不懂，但是看到她臉部表情的變化。

她似乎有點心虛。

我刻意進浴室洗澡，禮貌性地迴避了些尷尬。

我還是忍不住，問了那是誰？

沉默。

突然間，她哭了。

突然間，我疼了。

她向我說對不起，那是她未婚夫，下個月結婚。

我苦笑，卻感覺空氣凝結在整個空間裡。

那爲什麼要找我來香港。

她說，還記得去年情人節，我們說好了要到香港，卻因爲她出了點小車禍，而取消了行程。

她想在結婚前，完成這個心願。

我不知道該說什麼，強忍著心中的百感交集，勉強地吐出這幾個字——那爲何還要嫁給他？

她說因爲寂寞，因爲他對她很好，因爲那是她的上司，因爲她懷了他的孩子。

連祝福兩個字，我都還故作堅強。

一大早，窗外的陽光將我喚醒，她不在身邊，行李也不見了。

只留下了一封信。

人走了，愛走了。

寂寞留下來了，傷心也留下來了。

I am not sure why this takes place,
I only know my heart does race.

我一個人在傷心地下鐵穿梭，愛卻過站不停。

城市律動裡，來回穿梭的陌生臉孔，有誰看到我的心？

中環天星碼頭，浪漫的天星小輪上，不知載滿多少情愛故事，我卻將思念灑在維多利亞港灣……

也好，這也許是她的幸福；也好，這也許是我該有的旅途。

一個人到佐敦的榮發吃露天大排檔，一個人到銅鑼灣時代廣場瘋狂血拚，一個人在中環蘭桂坊買醉，再一個人回到我的傷心飯店。

一大早，收拾行李，我想換一間飯店。

也許，換個飯店，才能轉換心情。

麗晶酒店的大落地窗，才有度假的味道。

麗晶軒的港市飲茶，道地的港式飲茶令人心曠神怡、大快朵頤。

夜幕低垂，繁華卻點了上火，夜晚的香港，晶亮迷人，像穿了晚禮服的貴婦，帶滿耀眼的璀璨。

還是走到天星碼頭，港灣的風有些沁涼，適合把心事晾乾。

碼頭上，許多遊客嬉笑拍照，許多情侶甜蜜依偎，而我，卻還是一個人寂寞。

「能幫我拍張照嗎？」

「當然好啊！」

她是個玲瓏有致的女孩，而且講的是國語。

「妳是台灣人嗎？」我問。

「好眼力。」

「因爲只有台灣來的女孩才多了一份親切感。」

她笑笑，露出小虎牙，模樣甚是可愛。

「自己一個人來嗎？」

「是啊，來散心，你呢？」

「原本是散心，現在卻只剩傷心。」

「那就在維多利亞港灣埋葬你的傷心吧！」

我笑笑，好一個有趣的女孩。

「做哪行？」我問。

「電台DJ。」

「DJ也有這麼美麗的嗎？」

「少油腔滑調！有什麼傷心事說來聽聽，反正我經常接聽眾的Call in，說不定說出來會快樂點。」

「都過去了，也不重要了，我現在只想好好地過新的生活。」

「OK，祝你有個愉快的旅程！BYE！」

「我能留下妳的電話嗎？」

她笑笑，遞了張名片，「我住喜來登。」

「我住麗晶，不太遠，一起走吧！」

華燈蔓延，浪漫也偷偷蔓延……

And in their strength, they do reveal,
How much to me you do appeal.

隔天，我接到前女友的電話。

要我好好保重自己。

我告訴她，結婚時別忘了邀請我。

「會在台北，還是東京？」

「東京，你願意來嗎？」

「反正也好久沒到日本，今年還有五天假，應該可以。」

掛下電話後，沒有讓小小的失落佔滿心頭。打電話給昨天認識的她。

「還在睡嗎？要不要一起逛街？」

「早就起來了，一大早就去健身房跑步，游泳池游泳。」

「這麼健康啊，也不找我。」

「你又不住這！」

「好啊，那我搬啊！」

「我隨便講講，你還當眞？」

「一點半我去找妳，一起去半島酒店喝下午茶好嗎？」

「OK啊！」

第一次和她坐那麼近，把她看清楚了，眞是個迷人的女孩，大大眼睛和小小的酒窩配上細緻的五官，轉換成令人忍不住想靠近的誘惑。

一起走到海港城Shopping Mall，眞是個購物的天堂，全亞洲最大的購物商場，極度渲染刷卡的欲望。

不自覺地想牽著她的手，沒有拒絕，我也就順理成章地將我厚實的掌心，握著她的小手。

世界眾多知名品牌雲集，貨品之多令人嘆爲觀止。

「妳是什麼星座的？」

「牡羊座。」

「眞的是滿適合當DJ的星座！」

「爲什麼？」

「能言善道，而且天生就有一種迷人的自信和優雅氣質。」

「嘴巴好甜喔！」

「因爲妳長的甜啊！」

當天晚上，我倆到半島酒店頂樓的FELIX。

由法國設計師Philippe Starck所設計，特殊的空間處理造成的突兀和錯覺令人感到驚奇，花團錦簇的胡椒罐，人面椅背的座椅都是特色。

靠窗的位置，我倆一覽九龍和港島的夜景。

當天晚上，她回我的飯店。

吻是甜的，滲入心裡，伴隨酒精，催化成維多利亞港灣的溫柔。

「下個月有空嗎？願意陪我到日本嗎？」

我知道，這也許是幸福的開始……

This has happened for quite some time,

Ever since that night sublime.

網路笑話

誰是活龍

有一個阿伯，自認六十歲還是一尾活龍，常常向別人炫耀！

有一天，在公廁裡看見旁邊的年輕人，兩手放在下部在噓噓，心想機不可失，好好消遣一下這『不知猴』！

「少年雞！這麼沒用？七少年八少年，尿尿還要兩手扶著唷？」

只見年輕人很不屑的轉過頭來，冷冷的說了一句：「阿伯！我是在把它壓住的啦！」

天冷，請加件BF！

文◎瀧里柏

午夜的時針已悄悄指向三的方位。天大寒，如果妳在身邊，不知會有多好？

之一

淡水，一年四季都是戀愛的好風景。

隨著捷運，承載著愛。

淡水的冬天，出奇的冷，妳仍堅持坐渡輪到八里。

也好，吹著風，我可以看著妳長髮飛舞的迷人風景。

渡輪，漂浮在淡水河上。

妳我，漂浮在愛情海上。

河上，有著恬適自在的漣漪。

妳我，有著烘培溫潤的浪漫。

妳握著童年時光的吹泡泡瓶，隨著渡輪的前進，透明卻裹著七彩光暈的泡泡就蔓延成一道美麗的弧度。

突然想親妳，妳卻調皮地在我的臉上吹了一個泡泡。

我皺著眉頭，妳卻在我眉心留下輕輕的一個吻。

會冷嗎？我問。

愛很暖，不冷ㄚ，妳說。

妳把頭靠在我的肩上，摟著妳的手，突然有種夏天的熱度……

之二

和妳到陽明山看夜景。

我騎著重型機車，妳服貼在我的背，像蔓延的青苔，在我堅強的背脊上，溫柔地依偎著。

我問妳，會冷嗎？

妳說：有BF，就不怕冷。

我心裡想，我要多賺一點錢，買一部車，不讓妳吹風受寒。

妳仍是溫柔地依偎著。

繁華城市流洩成燈火蔓延的動線。

妳高興地說，那是新光三越，那是我們第一次約會的地方。

是啊，今天是我們在一起的第九十九天。

我拿出藏在大衣口袋中的仙女棒，用打火機燃出繁星點點。

夜空中，因爲燃燒的仙女棒而華麗了起來。

我許願，希望我們的感情能長長久久。

不知不覺中，我看見妳的臉上，多了兩行透明的淚痕……

之三

原來眞心付出也是種錯？

落單的男人，其實最怕孟冬的夜。

走進巷口的那間Pub，重度低色調放肆地衝勁眼裡。

刻意挑了個角落的位子，坐定，抽了半包Davidoff，喝了兩杯Martini，嘆了口氣。

原來，沉澱一段濃烈的愛情，並不是那樣容易。

一直習慣有妳的日子，遺失情人之後，再怎麼堅強的男人，其實都會感到無助。

拇指觸及鬍渣的時候有些痛，是一種特別的心痛。

說實話，還依戀著妳用溫柔嫵媚的姿態，輕輕地刮去我臉上的一片黑色草原，那是熱戀的絕佳表情，然後我也會習慣性地和妳分享法國式的深吻。

我用舌尖舔了舔唇，彷彿溫存著妳深情的唇印。

想著這段感情竟然想成了一彎傷口，妳生日的那天，我因為一項會議而無法和妳共進晚餐，只好捧著一束載滿愛的紫色鬱金香向妳陪罪。

沒想到妳家門口停著一輛BMW。

我親眼看見妳和另一個男人在燈下吻別。

我大吃一驚，手中的鬱金香也失重滑落……

我放縱情緒讓自己跨下的YAMAHA重型機車，將我的心和那束鬱金香一同輾過……

孟冬的夜，格外的冷。

今夜的酒，特別容易醉。

再度點了根Davidoff，用力地抽了兩口之後，撚熄。

說真的，我、不、甘、心！

盡情地醉吧！Sir，再給我一杯Martini。

之四

從朋友那得知，妳出國留學了。

從戀人變成朋友的感覺，事實上，比我想像的還簡單。

隨著香濃的Cappuccino漩渦，沉澱一段愛情。

也許，我還不夠好。

午夜十二點，妳打了通電話給我，打翻了我原有的睡意。

偌大的客廳裡，沒有開燈。

黑暗，使我容易流露表情。

換隻耳朵，繼續接受妳的溫柔絮語。

那是一種單純的親密嗎？我不知道。

不過我也期待著和妳從朋友再度蛻變成情人。

握著的Cappuccino還剩一口，大口喝下，也順便將以前的愛戀情節一同吞服。

午夜的時針已悄悄指向三的方位。

天大寒，如果妳在身邊，不知會有多好？

之五

有幾天假，不自覺地買了機票，想出去走走。

卻突然想起妳。

那是一種說不上來的想念。

我選了和妳同一個城市。

飛過半個地球，想靠妳近一點。

在飛機起飛前，我沒有告訴妳。

在飛機即將登陸的時候，我望著窗，有一種莫名的悸動。

我從皮夾中拿出妳的照片，雖然我剛認識一個女孩，可是我還是忘不了妳。

我不知道我搭飛機來這裡做什麼？

想見妳，又不敢見妳……

我還是沒有去找妳。

一連四天，我遊蕩在街頭，原來陌生的城市，卻讓我有一種近鄉情怯的感覺。

舊金山眞是個漂亮的城市啊！

是一下子就會讓人想戀愛的地方。

突然間，我們竟在舊金山街頭的Bar不期而遇。

連一句好久不見，都顯得如此心虛，不知道妳從我的眼裡可以看出滿溢的寂寞嗎？

妳說妳喝醉了，我笑笑，那是佯裝的吧？

只是不願讓我看出妳還愛我，是嗎？

走出Bar，起風了，不小心也吹走了妳的圍巾。

我看見妳脖子上的草莓吻痕。

妳不慌不忙地告訴我，天冷，需要加一件BF。

我叼上一根菸，沉默了一會兒。

那就把我加在妳身邊吧……

網路笑話

駱駝

小駱：爸爸，為什麼我們要有駝峰呢？

駝爸：因為沙漠中沒有水，有駝峰才可以儲存水分啊！

小駱：爸爸，為什麼我們要有長長的睫毛呢？

駝爸：因為沙漠中風砂大，這樣我們才看得見啊！

小駱：爸爸，為什麼我們要有厚厚的蹄呢？

駝爸：因為沙漠中都是沙，這樣我們才站得穩啊！

小駱：爸爸，最後一個問題喔……那我們在動物園幹嘛呢？

舊情人敵不過一客冰淇淋

冬天適合躲進情人的臂彎，春天適合離開屬於第三者的港灣。

文◎瀧里柏

告別漫長的冬季，當春日的氣息劃過都市換日線時，一抹清麗的韻味，伴隨著陽光，傾灑抒情光譜，純白開始Stand by，現在流行用Shopping豢養戀愛的好氣色。

遺失情人的第一個星期五，她刻意穿上白色的上衣。

是要弔唁愛情，還是要迎接春天，其實她也不知道。

但總覺得換上白色的上衣，心情也會跟著轉換。

昨天的企畫會議，她不是很用心，但提案完，還是獲得一致的掌聲，是失戀保障名額嗎？

回到辦公室，桌上和情人的合照顯得格外諷刺，於是隨手就丟到垃圾桶。

思緒似流沙，沉沉地流著。

她一直都在電視中看到他，他是新聞主播，黃金單身漢。

沒想到一個下午，他倆都點了同樣的一杯咖啡。

不知道是因爲自己一副套裝模樣吸引他，還是因爲同樣的咖啡香，總之他向她遞了名片。

她笑笑，隨手放入口袋中。

只是第二天的產品發表記者會上，他倆又碰了面。

他主動和她打招呼，並隨手遞了杯雞尾酒。微醺的滋味，就像是他的笑容。

「怎麼主播還需要自己跑新聞？」她說。

「因為我知道這裡會有妳啊！」停了一會才改口：「沒有啦，老闆是我朋友，所以要捧個人場啊！」

當天晚上，新聞完後，她就接到他的來電，說一小時後去接她。

城市的燈火蔓延，愛戀也開始蔓延。

紅燈的時候，他試圖握著她的手，她沒閃躲，只覺得他的手心很厚實。

是一種溫暖而有安全感的手。

於是每天新聞完後，他倆都會見面，也許喝咖啡、也許看電影，或者逛逛街，甚至做做愛。

這是一種說不上來的感覺，男朋友就是電視裡的主播，很興奮，也值得炫耀，特別是他還是她姊妹淘的夢中情人呢！

星期五下午兩點，她開始翹班，因為Coffee Bean的落地窗和濃烈咖啡香是醞釀Shopping的最佳催情劑，雖然她在旋轉的咖啡漩渦中仍不小心想起他……

他倆在Coffee shop相識，也在Coffee shop結束。

冬天適合躲進情人的臂彎，春天適合離開屬於第三者的港灣。

一直以為他溫暖的手心，能夠完整呵護她的

心。

怎知花心的人，卻總有純情的笑容？

收斂感傷，她知道自己迫切要用名牌來SPA愛情的缺口。

起身，她需要新的彩妝，特別是唇蜜。

還記得他曾迷戀她的吻，他說是一種裹了蜂蜜的甜蜜。

如今，寂寞而乾澀的唇，更需要唇蜜來僞裝幸福。

春天是懸賞Kiss的好季節，也許會在街頭轉角，遇見百分之百的好男人。

不知不覺地逛到了京華城，她的寂寞淹沒於來往的人潮中。

壯闊的弧形樓中樓挑空廣場裡，她發誓，要好好疼惜自己。

情人離開了，愛情的春天才正要開始。

春日正熟，只有採購才能救贖寂寞的靈魂。

她打電話給一些姊妹淘。

今天晚上，一定要到Plush炫耀血拚的戰利品，春天是戀愛的好季節，她就是整個城市最美麗的風景。

手機響起，是他。

可是她卻從容地切斷電話。

手機再度響起，還是他。

她卻堅決地切斷電話。

一直以爲自己是他的唯一，沒想到信誓旦旦的諾言，卻在打開他的Outlook信箱才眞相大白。

原來另一個女人，也叫做寶貝。

想起張清芳的最新主打歌。

她傷心失落寂寞難過。

電話響起，是她在某八卦雜誌上班的好朋友。

她告訴她這期的雜誌封面人物就是她的主播男友，因爲有證據指出他被有錢的貴婦包養……

她沒有聽下去，原來那個有錢的貴婦，就是他Outlook信箱裡的寶貝。

她傷心失落寂寞難過。

她躲進廁所偷偷哭泣。

抬頭看著鏡中的自己，哭花的妝，看不出清麗的容顏。

她拿出面紙，粉餅，精緻地修復臉上的妝。

終於明白舊情人敵不過一場激優時尚派對。

終於明白舊情人敵不過一次誠品書店的質感邂逅。

終於明白舊情人敵不過一次電影裡的聲光娛樂新享受。

終於明白舊情人敵不過一客Comme CA Du Mode冰淇淋。

終於明白舊情人敵不過一座購物中心所遞嬗的春日流行品味。

她在剛開幕的髮型設計屋換了春天的俏麗髮型，剪去傷悲，也剪去舊的依戀。

她看著鏡中的自己，覺得很滿意。

整個城市多的是因爲春日驕陽而茁壯的好男人。

她吃著Comme CA Du Mode冰淇淋，因爲在她眼角的餘光，看見前面有一個俊俏英挺的男子，微笑向她走來。

向他Say Hello吧！

她的嘴角上揚著微笑的幅度，因爲她知道，從現在開始，在春日的戀愛新美學中，她將會是最幸福的女人。

網路笑話

超車

從前有個商人騎著駱駝要横越沙漠，有一天在路上遇到一個開車的人，開車的人很好心要送他一程，商人也答應了，可是駱駝載不下，只好讓牠在後面跟，當車子時速開到四十公里時。

司機問商人：「你的駱駝沒問題吧？」

商人：「沒問題！」

過一會車子開到六十公里。

司機問：「你的駱駝還可以吧？」

商人說：「沒問題！」

後來車子開到時速一百公里了。

司機很擔心的問：「真的不要緊嗎？我看你的駱駝都在吐舌頭了！」

商人說：「喔？舌頭是吐向右邊還是左邊？」

司機：「左邊。」

商人：「那麼，請你開右邊一點，牠要從左邊超車。」

10°C涼的季節，特別讓人想起許多從前。

有些故事從不曾遺忘，只是摺入心中一角，細心收藏。

你可曾記得令你感動落淚的那段話？

可曾憶起早已淡忘的青澀初戀？

小說盛宴獻上最甜美感人的小說果實，

那些關於想念的、分離的、被愛的、

心疼的心情寫真。

請你來細細閱讀……

這也是一個屬於所有文字寫手的夢幻遊園地，

歡迎將你的故事寄給我們……

投稿信箱：rose@sitak.com.tw

我心裡的幾個女人

愛情是我最沉重的心跳，因為愛情無法證實我的存在，在愛情之中，我只有迷失般的感覺。

文◎PM‧圖◎瘦子貝

好女人的壞

我不完全是追求理性的智慧型生物；也不是女性肢體的狂熱份子，我的欲望介於兩者之間，左右搖擺。

我不像是好人，也沒做過太差勁的事情，獨獨曾讓幾個女人逃離我的臥房，找了隻電話，在另一頭沉默下來。通常她們會把即將脫口的話咬緊，那時候我很清楚，女人掛上電話就要哭了，我卻沒有趕到女人租來的公寓，說些什麼或做些什麼。我承認這是我不自知的胡塗，也是我不自覺的殘忍。

對於女人在愛情結束後的寬容，我一直心存感激，不過卻很難爲自己的固執低頭，承認什麼或解釋什麼。儘管我心裡清楚明白，道個歉，一切可能重新再來，然而我苛求的單純，愛情與生活的單純，都讓我嚥下即將脫口的勸慰，避免接下來像是不意扯破一顆枕頭，整個房間都得重新收拾一遍。

可是我曾經愛過的女人，常說我的壞是好男人的壞，至於爲我傷心的女人呢？我隨口問問彼此不相識的她們，給的也是同一

個答案。

哦，她們說，她們都是很好的女人啊，可也是壞，是那種存在於女性性別之中，必然要傷害我的壞——如果我不夠迷糊或不夠殘忍，女人會任性地改變我的一切，將一切毀壞。我說，這我都了解啊，都朦朦地懂得一些，只是並不走開，我習慣女人的體溫，也很喜歡。

是，眞的是，我就是她們說的，是個壞掉的好男人，我的女人是壞掉的好女人，因爲我有些天眞，她們有些世故，所以愛，就變得壞。

是，眞的是，我們這樣愛、這樣壞。

她如蜜的愛情

戀人是一顆氫氣球，得小心抓牢，一鬆開指頭，就要失去唯一的牽繫。

因爲戀人也是一個孩子，即使並不愚昧，仍然追求依賴，我常想念她如蜜的唇，但是當她吻我，我通常有些疲倦。

當性成爲愛與不愛的標準，兩個人的身體就漸漸疏遠了，而語言是無法說明這樣的事情的。

我輕吻她賭氣的唇，爲的只是讓她放心，但她總是不安，在擁有我的愛情之後，更加不安。

我並不勇敢

我並不勇敢，連身體都是儒弱的。看著自己映在電腦螢幕裡的手，我發現對於生活，自己並沒有很聰明的辦法。

我當然不會告訴妳，經常想起妳的肩膀，美麗而溫暖的體溫，還有我們蜷在被窩，彼此相愛的身體。

我小小的女孩，其實我並不勇敢，如果我說妳是我的勇氣，妳會不會覺得好笑？但是小小的女孩，眞的眞的，我大步向前的果決，就在妳天眞的擁抱裡，的確，就在那裡。

愛情是我最沉重的心跳

愛情是我最沉重的心跳，因爲愛情無法證實我的存在，在愛情之中，我只有迷失般的感覺。愛情又是我最專注的眸光，我認眞地想像我的戀人，因爲我的戀人無法證明她的愛意，在她的眼睛裡，我的愛情並不安全。

在愛情裡，我變得十分抽象，像是從果實中剝離開來的表皮，爬滿螞蟻。

我覺得疲倦了，如果可以，我不要愛情，我要我安靜、可以清楚聽見蟬鳴的下午，一個可以完

全入睡的夜晚，一個沒有憂鬱的夢境。

我不要愛情。

不怕

我們的世界以表象判斷內涵，所以即使是男人，也無法理解男人的脆弱。母親可能是唯一能夠完整體會這種孤獨的人，她不會因此感到意外，在發現兒子的無助時，她可能是最重要的外在力量。

在眞實體會這樣的事實後，他也開始辨認母親的表情，用清楚的心，重新認識他的母親，像是閱讀一本外文書，而這本書比任何諾貝爾獎著作，都更爲深刻、動人，而難以理解。

在他窗外的夜裡，有一顆星子陪伴他閱讀，他感覺溫暖而訝異——整座城市只有他看見那朵星光，因爲那微小而明白的光瑩，是母親從隔壁的陽台上，爲他點亮的。

切結

拔除了在背芒刺，以為女人是天上掉下來的禮物；沒想到這一切的一切，竟像是——天上掉下來的玩笑？

文◎魯子青

邱水龍開完了主管會報就提著公事包離開了銀行的會議室，臨走前他向副理請假，並向屬下交代一些瑣事，就匆匆趕往律師事務所。平常他都是五點下班，今天足足提早了兩個鐘頭，就因爲等一下對他是個重要時刻。靜宜這兩年多來不是一直鬧著要離婚嗎？今天就讓她稱心吧！他已同意將兩個兒子的監護權交給靜宜，並按月支付贍養費。幾年來她因爲對這兩點絕不讓步，所以離婚一事就一直耽擱著，夫妻處於分居狀態。

「沒想到你那麼爽快就答應我開的條件。怎麼，急著想結婚？」靜宜在律師事務所對協議書上的文字做了最後的審視後，冷冷的問邱水龍。她見邱不想回答，於是低頭清點了一下這期的贍養費數額，才當著律師的面，在協議書上蓋下了私章。

「其實兒子們和妳同姓，我憑什麼要出他們的贍養費？我這一隻豬公不但要下種，還要餵奶，這算什麼嘛！」

「你當初入贅與現在離婚是兩碼子事，如果後悔的話，我們可以將離婚協議書撕掉。」靜宜拿起了協議書作勢要將它撕毀，但邱水龍很快就阻止了她的虛張聲勢。

「姓邱的，我向你明說了吧，我今天會放你是因爲我自己也正在和另一個男人交往，否則的話我就繼續和你耗下去，看誰先撐不住？」

邱水龍怕靜宜改變了心意，於是趕快跟進，立刻也在協議書上簽字並蓋了章。心想，妳這個老女人也找得到男人？

「That's it!」邱水龍看大功告成，念頭急速一閃立刻對前妻說：「等一下，妳還沒將切結書還給我。」

「什麼切結書？」靜宜問。

「昨天不是在電話中說好的嗎？就是兩年前我和鄭小姐在妳面前切結的那份文件。」他說。

靜宜很快就想了起來，立刻由皮包翻出張白紙，將它還給了她的前夫邱先生。

「邱水龍你自己說，我要求離婚合不合理？看看你當時幹的好事，你和她不是在我面前切結說以後不再來往？沒想到你隨即又找上另一個……」

邱水龍抬起了右手示意他的前妻不要再講下去，然後將手中的切結書撕成碎片。

「妳該不會留有影本吧？」他不放心的問她。

「你怕我印傳單到處散發嗎？放心，我還是很厚道的，如果眞想搞垮你的話太容易了。不過我早就將那張切結書給兒子們看過了。對於自己的父親是個什麼樣的男人，他們在心中應該早就有數了。」

走出事務所的大樓，靜宜揮手攔了一輛計程車，上車前她對前夫交代：「你自己要小心一點，人家鄭小姐可是有先生的人，你不要弄不好吃上官司。」

靜宜上了車後搖下了車窗，「你耳朵過來一下，我還有句話要對你說！」

她在前夫的耳前咕嘟了兩句後，他氣得對她叫罵，但車子已適時的開走了。

司機問靜宜剛才那個男人怎麼那麼生氣？靜宜對司機說：「我對那個人說他是一隻模範種豬。」

送走了靜宜以後，邱水龍站在大樓前心中竊笑著，這婆娘怎麼會提起鄭素芬？都幾百年前的事了，我會爲了一位會計小姐做這麼大的讓步而離婚嗎？妳未免也太小看我邱某人了。

他由地下室的停車場將汽車開了出來，再度確認口袋中的離婚協議書仍在原處後，心情格外的輕鬆，想想自己終於擺脫了前妻的束縛。現在時機已成熟了，何不今晚就向王美玲求婚？他立刻用手機撥話給王美玲，約在他們常去的那家西餐廳。

他想著等一下吃完飯，不妨開車帶王美玲到北投去洗溫泉，他知道有一家很隱密的溫柔鄉。今晚要好好瘋一下，都快四十歲的人了，人生還剩多少青春？可是他又想王美玲會和他去嗎？兩人交往都快十個月了，直到上個月她才讓他牽她的手。都是中年男女了何苦這般矜持？她卻堅持沒有婚姻一切免談。今天他終於將婚離了，只要先向她求婚，剩下的節目她應該會點頭的。

這時他不禁又想起剛才靜宜在法院門口提到了鄭素芬一事，奇怪才半年多不見，怎麼連她的樣子都想不起來了？兩年前靜宜帶著徵信社兩個彪形大漢闖入了賓館，硬要邱水龍和鄭素芬切結以後絕不再往來，否則她要將事情鬧大，光憑那些照片就夠兩人吃上刑事官司。男人和女人終於切結了，但條件是靜宜必須當場將照片與底片銷毀。從那以後，靜宜就拒絕再替丈夫燒飯、洗衣服，只將冰箱留一層給丈夫用。每次她和兒子們開飯時，邱水龍就會很識趣的迴避，自己到外頭吃自助餐。日子一久吃膩了，有時他也會在超市買一些東西，等靜宜與兒子們用完餐洗好了碗盤，自己再一個人開伙。至於所有換洗的衣物，他也都送到洗衣店去按月包洗。

他與鄭素芬切結了以後果然停止往來。後來鄭在鄉下家人的作媒之下就嫁人了。但邱水龍的露水情緣並未因此而斷絕，靜宜不知又由哪兒風聞了他的一些情史艷事後，氣得乾脆將丈夫趕了出去。當時她給邱水龍兩條路走：第一，立刻離婚；第二，立刻由這個家中消失。反正房子是靜宜娘家爲她購置的，所以當時邱水龍只好乖乖走人。他之所以不願離婚是因爲只要有名份在，靜宜娘家的產業遲早有一部分會進入他的口袋。

就這樣他搬離了他與靜宜自新婚起就住在一起的獨棟別墅，自己在公司不遠處租了目前這間小套房。回復單身的生活後，女人從此就大大方方的往屋裡帶，再也不必像以前那樣偷偷摸摸的了。

鄭素芬嫁人後，他終於喘了一口氣，所有的女人中就鄭跟了他最久，自己常年有家歸不得，和這位會計小姐有絕對的因果關係。他常將妻子拿來和鄭素芬比較，其實靜宜除了年紀較大長相蒼老外，其它各方面的條件都要比鄭素芬好上很多。尤其一談到娘家的經濟實力，鄭可是差上一大截。爲了一個不怎麼樣的女人丟了長期飯票，不值得啊！

哪知鄭素芬嫁人一年後，某一天的夜裡竟然又跑來找邱水龍了，她說她由銀行以前的同事問到了他的地址。並向他哭訴原來她的新婚丈夫一直背著她仍和他初戀的情人在暗通款曲。

「你看這一張切結書！我接獲密報後，於是先寫好了切結書，完全模仿當初你太太要我們切結的那張樣本，我由徵信社僱了兩個彪形大漢，一起到現場他們看了就嚇壞了，於是乖乖的押上了手印。哈哈！上次我是立據人，這一次卻成了見證人。」鄭素芬講著講著居然破涕爲笑，好像是在敘述一件發生在別人身上的趣事般。

那晚她要求住在他那裡，他面有難色。

「我老遠由鄉下趕來，難道晚上要我住旅館？」

後來他僅答應讓她睡客廳，半夜裡素芬來敲他的房門，門根本沒鎖，他躺在床上清醒的很，兩人一年多沒要好了。

「我們可是在我老婆面前切結過的。」她上他的床前他提醒她。

「你怕什麼？反正你現在已搬出來了。」鄭素芬安撫他說。

素芬一住下來似乎就不想走了，她說她要離家一段時間讓她先生找不到，以抗議他出軌的行爲。以後每天夜裡，邱水龍與鄭素芬兩人又重敘舊日之情，時光似乎又回到過去那段偷情的歲月。

最後邱水龍之所以強制要素芬回去她丈夫身邊，並不全然是因爲素芬說已經驗出有孕，因爲就在同時，他認識了王美玲，一位他們銀行某大客戶僱用的會計師。最初是因爲業務往來而認識，但後來彼此得知對方都是單身以後，才有進一步的交往。邱水龍將王與妻子和鄭三人比較之後，發現王美玲要比另外兩個女人的條件突出太多了。她不僅是容貌出色、學歷高、沒有婚姻的羈絆，家世的顯赫也絕不在靜宜之下。有一次王美玲打電話到他的公寓，是鄭素芬接的。隔天王美玲好奇的問他說：

「你不是說你已離婚了嗎？」

他硬著頭皮胡亂撒謊，電話中女人的聲音是定期來家中打掃的清潔婦。當天晚上他不容分說硬要鄭素芬立刻搬走，她哭喪著臉：「萬一肚裡的孩子是你的要怎麼辦？」

「怎麼可能？以前我們在一起那麼久妳都不懷孕，怎麼現在妳結了婚就賴是我的了？」

「以前我都有按時吃藥，可是婚後我就停下來了。」

「那妳更是非走不可，趁妳丈夫還沒起疑趕快回去。」最後邱水龍軟硬兼施連哄帶騙，才將她打發走。

送走了鄭女，第二天他就去找妻子靜宜向她提出離婚的要求，但當時靜宜覺得情況有異，自從將丈夫趕出家門後，他連續一年多都賴著不肯拿生活費回家，他不會好端端的要求離婚，自動負擔更高的贍養費而別無所求。所以她忽然拿起喬來，硬是不答應邱水龍的要求，並且將條件不斷加碼，所以離婚一事就這麼無疾而終。

一直到最近，靜宜交上了新男友，兩人的關係才終告塵埃落定。

本來如果時間許可的話，應該先去買份求婚禮。但再想想，還是用餐後帶美玲親自到金飾店裡挑選比較妥當。邱水龍於是從容不迫地將車停好，進入了餐廳。

王美玲果然準時赴約，但令邱水龍驚訝的是，她身邊卻多了一位高大英俊的男性，年約三十出頭。男人自行坐下後，並不是很友善的望著尷尬的邱水龍說：「很抱歉，今天不請自來，敝姓陳，是王小姐多年的好朋友。」

「多年的好朋友？」邱水龍不解的望著坐在陳先生身旁的王美玲。

「邱先生，是這樣的，剛才你打電話給我的時候，我剛好和陳先生在一起，事實上這一個禮拜以來我和他都在一起。」王美玲終於說話了，她的聲音今天出奇的細弱，並透露出怪異的氣息，這和她以往的婉約大方判若兩人。尤其她竟然稱他邱先生，而不像以往般親熱的喊他「水龍」。

王美玲不見他回答，很吃力的想繼續解釋下去。但她身邊的男人卻示意：「美玲，還是由我來說吧！」

邱水龍聽到對方親熱的叫女人「美玲」時，心裡大約可猜出將要發生什麼事了。

這時男人說話了，「邱先生，是這樣的，上禮拜我已和太太離了婚，現在我和王小姐又在一起了。她一直不知要如何向你開口，剛好你打電話過來，我們想想何妨不利用這個機會大家把話攤開來說，所以……」

這時坐在男人身邊的王美玲接著說：「邱先生，我並沒有欺騙你的感情，我和陳先生很久以前就在一起了，後來我和他之所以會分手是因爲……」

「這件事由我來處理。」男人搶著說話，他由口袋中拿出一張蓋著數顆印章的白紙，放在邱水龍的面前繼續說：「這樣吧，你不妨看一下這份文件就會清楚了。」

邱水龍低頭一看，那是一張切結書，上面寫著：

男方陳金生　女方王美玲

從今天以後絕不可再有任何形式的聯絡行為，否則陳太太將隨即提請法律訴訟，控告兩人通姦成立，不得有任何異議。

立據人〇〇〇

見證人〇〇〇

「邱先生你可以注意日期，這份文件是兩年前我和王小姐在我太太面前切結的，兩年來我們都遵守著承諾不再聯絡。既然上禮拜我已與太太離婚了，這張切結書自然也失去了效用，我太太已經將它還給我了。因此希望你和她就到此爲止，至於以前的事我就不再追問。」

邱水龍看完了切結書上的內容後，虛弱的將紙條還給了陳姓男人。王美玲靜靜坐在男人的身邊，低頭看著桌面上的茶水，自進門開始她一直逃避著邱水龍的目光。她長得還是那樣的迷人，在暈黃的燈光照耀下，顯得益發的恬靜幽雅，都三十出頭了吧，怎麼還保養的和妙齡少女一般，丰姿綽約韻味天成呢？

邱水龍趁著侍者過來收回菜單的時刻起身告辭，他落寞的說：

「既然這樣，那今晚就不打擾你們了，你們慢慢的用吧！」

走出了餐廳的玄關，王美玲忽然由後面追了上來對他說：「水龍，希望你能原諒我，我也不知道事情會發展成這個樣子。我和陳先生後來絕沒有任何來往，他和他太太會離婚絕對與我無關。這半年多來我眞的只和你一個人交往。」

他摸了摸口袋中那份下午才與靜宜簽好的離婚協議書，心虛的反擊著：「怎麼會無關？就算妳後來遵守了協議，但他們夫妻間的感情已被妳這個第三者破壞了。妳怎麼可以那麼不道德去介入人家的家庭，妳當然要爲他的離婚負責。我恨的是，妳在我面前裝得那麼聖潔，害我浪費了快一年的時間。」

這時那位陳姓的男人由衣帽間的轉角衝了出來，臉上明顯不悅的對邱水龍說：「邱先生乾脆一

點，我一直對你客客氣氣的，你不要不識抬舉。告訴你，我離這個婚付出了多少代價！你眞以爲我會平白無故把王小姐讓給你？」男人挺起了胸怒目瞪著邱水龍，一副準備打架的態勢。這時邱才注意到男人比他足足高出半個頭。

「我還不是一樣，我離婚也付出了很大的代價。」他反駁著說，順便偷窺一下大廳牆上的鏡子。鏡中的自己和陳姓男人的英挺之氣差上一大截。奇怪，孩子出生後靜宜老得特別快，兩人大學同班時，他就對靜宜的長相不是很滿意，若不是看在……總之，想到要和一個老女人廝守一輩子，一直是他心中的不甘。看來這個婚是離晚了，明年就四十歲了，現在只要年輕一點的男人往身旁一站，自己很快就被比了下去。王美玲現在會選擇陳姓男人，可能就和當初自己嫌棄靜宜的心態差不多吧！

「那與王小姐有關嗎？」男人問。

「什麼？」邱水龍一時間不知男人所問爲何。

「你與美玲認識時早就離婚了，難道不是嗎？」男人追問著，然後偏過頭問：「美玲，妳不是這樣告訴我的嗎？」

「是啊？」王美玲用困惑的眼光詢問著邱水龍。

邱水龍一時愣在原地不知該如何回答，最後他不經思考胡亂反問著美玲說：「那妳未來有什麼打算？妳眞要嫁給他嗎？妳有沒有考慮到他的經濟能力呢？」

「那干你何事？你又不是王小姐的家長，問那麼多幹嘛？她是離了婚的女人，我是離了婚的男人，我們在一起你有什麼意見？」男人凶惡的反問著邱水龍。

眾人皆好奇的望著這三位爭論中的男女。邱水龍看看場合不對，於是自己找了下台階趁隙快速離開了餐廳的大門，往黑暗中逃了出去。

第二天早上，才開始上班沒多久，經理就請小妹傳話將邱水龍叫到樓上的會議室，他的身邊坐著一位衣著體面的男士，他用來意不善的雙眼盱視著邱水龍。

「邱課長來了，黃先生這件事還是由你自己來說吧！」經理對身邊的男士低聲的說道。

「邱先生，我就明說好了，我是鄭素芬小姐的先生，你認識鄭小姐吧？」

邱水龍心中一陣慌亂，怎麼會有人在這個時候提起鄭素芬的名字？只好強作鎮定緩緩說道：

「她結婚前是我們另一家分行的行員。」

「僅這樣而已嗎？」

「我不知道這位先生您還想說些什麼？」

「據我所知我太太婚前是你的情婦。」

邱水龍愣在原處不知是該承認還是否認？他在腦袋中迅速閃過鄭素芬的影子。她的老公不是鄉下人嗎？怎麼眼前這位不速之客說起話來不疾不徐，一副胸有成竹又老成練達的樣子，想必見過了不少世面。

「邱先生，我太太婚前的事我不便發表評論。壞就壞在我太太婚後你還和她繼續藕斷絲連暗渡陳倉，邱先生這可是通姦罪啊！」

「你講話可是要有證據的，否則我可以告你毀謗名譽。」他故作憤怒的反咬了回去。

「哎呀，糟糕的是我沒有證據。」來者以滑稽的表情故作驚慌的繼續說道：「可是最近我老婆生了一個男嬰，我算算時間不對，前陣子她負氣離家出走一直到九個多月前才回來。她沒道理在那個時候懷孕。我故意不動聲色，讓她將孩子生下來，上禮拜血親鑑定報告出來了，果然不是我的種。我質問我太太，她首先還狡賴說可能是醫院將孩子弄錯了。後來我強迫她也去作血親鑑定，卻證實我太太是孩子的母親。這可麻煩了，我不但當了烏龜，還被姦夫淫婦栽了贓。你們倆這個罪名大了！」

「你不要在那邊暗示什麼！拿不出證據你就閉嘴！」邱水龍說。

「如果這個孩子證實是你的種，證據則是再明確不過了。邱先生你雖然在私人機關服務，不過通姦罪成立的話，可是要吃上刑事官司的，那時你的工作可能保不住了。我現在要求你和我立刻到醫院做血親鑑定，我負責所有的檢驗費用。」

「我爲什麼要跟你去？我有這個義務嗎？」

「那我只好到刑事庭自訴去了。邱先生，檢察官在合理的懷疑之下，可是會主動蒐集證據，那時他一定會強制你接受鑑定。走上那一步的話，大家公事公辦，我絕不接受任何和解。不過你也不用怕，如果我冤枉了你，你可以附帶請求民事損害賠償，我會賠償你的精神與名譽損失。怎麼樣，要不要賭賭看？」

「邱課長你決定好了沒有？」一直沉默坐在邊上的經理終於說話了。

他半張著嘴，不知該說些什麼，心中卻快速閃動著八、九個月前的回憶：雨天的夜裡，他將鄭女強制推進了計程車，然後將她的衣物往車裡扔……

「再告訴你一個祕密好了，經理在這裡也沒關係，我先天精蟲數不夠、活力也不足，根本不可能有小孩，這件事我太太到現在都還不知道。本來我也很苦惱，但現在……」黃先生機警的嚥下想說的話，隨即恢復到原先懊惱的表情瞪著邱水龍問：「我剛才的建議你考慮的如何？」

「是你太太主動把我招出來的嗎？」邱水龍幾乎是以認罪的口氣這樣問。

「噢，你也無須冤枉她，她也不會那麼絕情。我太太本想將孩子栽贓給我，事跡敗露後，她在驚慌中和我達成協定，只要她供出誰是小孩的父親，我就答應不對她提起刑事告訴，於是她只好犧牲你囉！」男人作出了一副無可奈何又令人發笑的詼諧表情。

這時樓下有行員來找經理至櫃台處理一些其它的業務，他臨走前對兩人說：「你們兩位最好能庭外和解，寫一份切結書就好了，能不鬧上法庭大事化小最好。不過邱課長，這件事情可能會對我們單位的行員有負面的示範作用，我恐怕必須將你的職務做一番更動，希望你心裡要有所準備！」經理說完這些話，便起身離開。

當天下午邱水龍請了半天假又到法院去了，產後的鄭素芬以及她先生抱著嬰兒早就在那裡等著他。鄭素芬一直抱著孩子沒有抬頭看他，他的丈夫拿出了早上邱水龍簽名蓋章好的切結書，排隊等候公證。他偶而會氣定神閒的回過頭來表情嚴肅的提醒邱水龍說：「邱先生，這樣的安排算你走運，正巧我也需要個男娃兒。我是看他還算健康，否則我才不會對你這麼寬容的。」

邱水龍靜默不語，也無話可說。

公證官吃驚的看著切結書的內容，爲求愼重起見，他抬起頭來詢問邱水龍說：「你切結說嬰兒隨其母姓鄭、或隨黃先生姓黃，由當事人自行決定你無異議嗎？」

「是的。」邱水龍點點頭。

「你切結說永遠放棄對嬰兒任何的探視權與監護權嗎？」

「是的。」邱水龍點點頭。

「你切結說負責這個嬰兒所有的托嬰費、生活費、與未來的教育費，直到他成年爲止嗎？」

「是的。」邱水龍點點頭。

「你切結說今後絕不再與鄭小姐有任何的接觸，否則黃先生可以立刻告你破壞家庭的刑事罪名，而你也會立即認罪。你是這樣切結的嗎？」

「是的。」邱水龍點點頭。

「你又切結付出這筆數額的遮羞費嗎？」公證官伸出右手比了一個五的數字。

「是的。」邱水龍的頭已像是上了發條，只要公證官每問一句，就習慣性的上下抖動一次。

於是公證官將法院的印信用力蓋在一式四份的切結書上。他自己保留一份，並將它編上了號碼歸檔，再將剩下的三份切結書還到每一個人的手上，然後示意他們可以離開。他調整了一下自己的眼鏡，清了輕喉嚨高聲唱道：「下一位。」

網路笑話

表現優良

經理：剛上任的張組長，表現如何？

職員：自從張組長上任後，同仁上班打盹的現象已經大為改善。

經理：他是怎麼做到的？

職員：因為他的鼾聲吵得別人無法入睡。

偷偷愛你

喜歡靜靜在你周圍，彷彿只有這樣才能假裝我們之間已超越了朋友的曖昧；是的，我是個膽小鬼……

文◎周詠詩

這並不是我第一次回來大學校園，因為要跟作者聯繫，之前已不知來過幾回。

這次的作者是位快要退休的教授，獨自住在學校的教師宿舍。他不喜歡用電腦打字，總是親自書寫。所以，我只好拿著稿件往來出版社與他的宿舍之間。

比起一些學者專家，這位老教授給人一份親切感，不會賣弄學問。記得初次見面時，我還以為他只是來學校散步運動的老年人。雖然聊得不多，我卻很喜歡在他家等他完稿的那段寧靜時光。或許是他寫作時的背影，也許是這古老宿舍的氣味，我彷彿靜止在時間的某一刻。

如果不是因為吵架，我的心思大抵會在編輯及校稿的繁忙工作中消磨殆盡。現在，我的思緒又回到記憶的深處，檢視著我倆戀情的脈絡。

他一直不知道，我在大一的時候便愛上他。

與他初次相遇是在大學的社團迎新，我不是學攝影的，只是喜歡欣賞。迎新時每個社團夥伴都帶著他們的相機，只有我和同學傻傻地帶了一袋行李和零食。於是我們只好自告奮勇地當起伙食組的成員。剛好他是負責總務的幹部，在兩天一夜的迎新中，或多或少有了接觸。

那時他的女朋友是社團的學姊。剛開始知道這件事，或者應該說是看到他們在社團中親暱的模樣時，不知爲何心中居然會有失落的感受。

在社團中，我屬於沉默的那一群。不太會使用相機，不過倒是樂於吸收欣賞作品的角度及技巧。雖然我不太會拍照，卻挺會提出對相片的評論。久而久之，也塑造了我在社團的角色定位。社團的夥伴們都會開玩笑地說：「只要林大小姐沒有意見，那就是上上之作啦！」

可是當時，我還不明白心中對他的情感，直到我看到他的作品。

他捕捉不同人物的風貌及表情。每回外出攝影，他總跟別人不同，很喜歡往人多的地方跑，尤其是一些偏僻的鄉鎮、漁村、農莊，他說他喜歡捕捉這些在地人的模樣。有菜市場叫賣的老闆、有在岸邊撬牡蠣的漁婦、有作陶的師傅、也有割稻的農夫，凡是工作中的汗水或是談天時的笑臉，總能在他的鏡頭下呈現特殊的韻味。彷彿看到照片，便看到主角一生的歲月及曲折故事。

這些照片令我感到無比動容，好似看到生命躍然紙上，透過鏡頭不同的角度、色彩變化，不僅閱讀人物的甘美，也間接傳遞了攝影者的心情及思緒。

因爲喜歡上這些照片，才發現自己對他的好感。因此，我不自覺地開始留意觀察他的一切。

透過我的鏡頭，在他的照片中總會出現另一名女子。我試圖了解這位在他生命中扮演女友角色的學姊。我推想，能夠進入他內心世界的女孩，應該有著溫柔善良的特質。尤其那位學姊像極了男人心目中的賢妻良母，不但笑容甜美、待人有禮，還燒得一手好菜。社團裡的人都很看好他們，至少在大學畢業之前。

升上大二的時候，我決定將這份情感收藏在心中。

人的感情是很微妙的，因爲心儀的他有了對象，自己便常不自覺地與學姊做比較。彷彿只要有一絲強過學姊，便多了與他相戀的機會與條件。但在現實生活中，感情的事卻無法評量計算。就算我眞的比學姊好過百倍，在他的眼中，依然只有她一人。

雖然早就知道他身旁有了學姊，我依然抑制不了心中對他的情感。而平日在社團，我們仍是無所不談的學長學妹。

眞的很想割捨這份情感。面對無法回應的愛情，就像行走在沒有盡頭的長廊，到最後會發現自己只是在原地踏步。只有欣賞他的作品，才能讓自己稍感安慰的。

每當他拍出新的作品，我們總要熱烈討論一番。在互相切磋研究的過程中，我用自己獨特的觀點與角度傳遞無法表白的情感；只有在此時，我擁有了學姊所不知道他的另一面。後來只要他有了新作品，便會先拿給我看，有時我們還會在他自製的暗房內沖洗最新的相片。當相片越見清晰的那一刻，我們總是相視而笑。而我便爲了那一刻的默契，忽略心頭的痛楚及沒有終點的等待。

等我升上大三，已是大四的他，便較少出現在社團。也鮮少在校園中看到他和學姊的蹤影。等到初夏，我知道自己的機會越來越渺茫。隨著他忙於畢業考及研究所的考試，拍照的時間減少，我們相聚的次數不再頻繁。我甚至有一種悲哀的感覺，充其量我不過是他研究攝影技巧的學妹。除了攝影一事，我們幾乎少有交集，甚至很少打電話問候對方。少了攝影這層保護膜，我也深怕過多的接觸只會洩漏自己對他長久以來的情感。但一旦他畢業，我們賴以聯繫的理由也將消失無蹤。

五月，他最後一次找我。這次他攝影的對象與以往不同，他以四年的大學校園作爲他的主題，雖然也拍人物，卻多了一些靜物及風景照。看著那些照片，我的眼淚幾乎要奪眶而出，相處的記憶全都湧上心頭。那些快樂的、憂愁的、不安的、嫉妒的、喜悅的回憶及感受，全都透過鏡頭再次重現眼前。

包括只有自己知道的，對於他的愛戀。

「小妹！」他慣用的叫法。「別這麼感動嘛，不過就是每天都會有的風景。」

「可是，就是因爲平凡，大家都認爲理所當然，所以才更珍貴呀！」我向他抗議。

他笑而不語。沉默了許久後，他靜靜地開口：「我沒考上研究所，畢業之後就等著當兵了。」說完，他把玩著手中的相機。「不知道還有沒有機會用到它。」

我看著一路跟著他翻山越嶺的相機，不解地問：「怎麼會沒機會，當兵還是可以拍照呀，總會有休假的嘛！」

「可是不知道去哪裡可以找到跟我一起討論的人。」他看著我說。

不想猜測他這句話的含意，只好訥訥地回答：「有機會，可以再找我呀！反正我又還沒畢業。」

一直到他畢業前，我們只在社團送舊時見過一次面。當時，學姊並沒有出現。我也沒有跟他聊太多，深怕自己會不爭氣地流下眼淚。

後來，我升上大四，他到外島當兵。好幾次想提筆寫信給他，不知爲何總是成了抽屜內的收藏品。可能因爲我沒有接到他的任何訊息，擔心越過這一步，便是無邊無際的海洋，收不到回音。他是否已經遺忘了這個學妹？或許我在他心中僅是風景的一角，成不了主要取景的標的物。可能我忘不掉看見他照片的感動，但我希望隨著時間、隨著兩個人不同的生命軌跡，我能遺忘曾經跳躍在心中的火花。

雖然初戀總是教人難忘，我卻鮮少再想起他。只有偶爾看到雜誌上刊登的人物照時，會想起那曾經令我動容的情愫。我以爲他會繼續走攝影這條路，即使是業餘，我也相信他能拍出屬於自己的獨特風格。

三年之後，在我和第一位男友，正確地說，是第二個心儀的對象分手後，我們居然在出版社再度重逢。

退伍後，他跑了不少地方。後來會選擇做雜誌的特約攝影，也是因爲可以四處取景。剛好我們有一本新書需要幾幅風景照，因此主編便找上了他。

看著名片上的名字，我一直有種不敢置信的感受。好像多年來極力隱藏的祕密，居然不經意地被人發現。而尷尬的卻是要面對過去的自己。我在完全不知道該如何繼續下一步的混亂心情中，與他見面。

「小妹，居然是妳！」他還記得我過去的小名。

「怎麼，你們認識呀？」主編在會議室裡不解地看著我們。

「怎麼都沒聽妳提過，我都不知道妳會照相。」主編看看我。

「她不照相的，只是欣賞。」他替我回答。

我覺得在我面前的似乎不是以前的他，而是一個工作上的新夥伴。我困惑於他對攝影的看法，彷彿只是爲了順從主編的意見，只爲了拍出出版社想要的照片。

我曾想像過無數的情節，只爲了能夠與他重逢，但多年以後，我卻不知道該如何面對曾有的情感及初戀情人。當然也可以只把他當作多年後相遇的朋友，反正他從不知道我對他的愛戀。但他對攝影態度的轉變，卻令我格外想念記憶中那個可親的大男孩，那個爲了沖洗出最佳品質而努力的攝影者。

我不斷質問自己，是否還殘存著對他的好感？卻始終無法確定自己的心意，沒想到他竟主動約我出遊。地點是我們社團迎新時去的九份。而他依然帶著他的相機。

一路上，他不再急於捕捉街上的人來人往，反而來到山頂，拍攝山與海的風景。吃飯時我忍不住問他。

「怎麼不拍人物了呢？」

「不想拍了，覺得壓力太大。反而是這些好山好水讓人心情平靜。」他的語氣傳遞了我們這些年未曾聯繫的隔閡。

「沒想到還會遇到你。」

「沒想到我們還會一起工作呢！」他倒是笑了笑。「還得有勞妳給我一些寶貴的意見。」

「別這麼說，我已經很少看攝影展了呢！」

「那下次再一起去吧！我正好知道有一個展覽還不錯。」

我不時接到他的電話。有時剛好是工作休息的空檔，他會打手機告訴我目前的狀況，閒聊他看到的景色、天氣、取景的角度。我恍如回到大學時代的關係，卻又隱約感覺到這份情誼的變化。

他仍是我認識的那個男孩，只不過變得安靜，好似正午的陽光慢慢褪成夕陽。

不久後，我成爲他的女友。

當我越來越確認自己對他的情感時，卻也因爲他的寡言而越顯不安。對我來說，能夠在多年以後與他重逢相戀，就好像完成了生命中一部分的自己。起初的困惑與遲疑全都變成滿心的喜悅。但他從未正面表示過對我的愛情，交往了半年之後，我甚至不曾聽他說過一句：「我愛妳」。

我總覺得有一絲絲的不安，耽憂此刻的幸福無法長久。

而這份恐慌在學姊出現後，更加明顯。我不知道他們戀情的始末，也不明白他們分手的原因。只是當我知道他與前女友又開始有了聯絡時，累積許久的情緒終於爆發。我一直有種害怕，從剛開始認識他，總覺得他不屬於自己；即便後來成爲戀人，那份不確定令我格外患得患失。尤其他與學姊重逢後，過去那份無法介入他們中間，覺得學姊比自己好的焦慮心情，便無聲無息地燃燒蔓延。

「妳最近比較憂愁喔！」老教授的聲音突然喚醒沉思中的我。

我發現自己置身在教授宿舍的客廳，屋內已點起了明亮的燈光。

「喝杯茶，再走吧。」說完，他走進廚房燒了壺熱水。

握著手中溫熱的茶杯，我啜了一口香片。老教授沒有特別說些什麼。

倒是自己打破沉默，緩緩道出與他的這段戀情。

「林小姐，」教授總是客氣地稱呼我。「上帝已經把機會再一次交給妳，妳沒有理由不好好把握。等妳到了我這個年紀，妳就會知道，很多以前看重的事會變得不再重要。但一些錯過的事反而令人格外在意。除非，」教授沉默了一會兒，興味地看著我。「只是因爲你們都很膽小。」

「怯於示愛、怯於表白、怯於知道對方眞正的心意。擔心被拒絕、擔心結果不如自己的預期、擔心贏不過記憶中的另一個女子。」教授笑了笑說：「現在跟他在一起的可是妳喔！而且是擁有豐富閱歷的妳。」

「給自己多一點信心吧！」臨走前，教授拍了拍我的肩膀說。

這種被不熟識的人一針見血地道出自己內心世界的感覺並不好受，不過我還是很感謝教授的好意。在回家的路上，反覆想著那份不安與其說是對另一名女子的耽憂，倒不如說是對自己缺乏肯定。害怕他不喜歡我、不想再跟我在一起、害怕自己的魅力不及別人、害怕再一次嚐到失戀的痛苦。這樣的害怕讓我看不見眼前的幸福。

回家後，我寄了一封E-mail給他，請他諒解我這些日子的無理取鬧，信的尾端，我寫下署名：老早就愛上你的膽小鬼。

週末，他約我回以前的學校。這是我們相戀後第一次回到母校。

「好奇妙，我們居然會一起回來。」我的心情感到分外輕鬆。

「早知道，當兵前就跟妳告白了。」他居然說了這句話。說完，他拿給我一張照片，那是大學時代的自己。

「我怎麼不知道有這張照片？」我驚訝地看著他。

「因爲是我偷拍的。」他羞澀地笑著。「妳還記得大四的時候，給妳看的最後一組照片？就是那時候照的。」他直視著我，繼續說。「笨小妹！那時我就愛上妳了。只是不知道妳的感覺，又害怕破壞我們的友誼，況且我就要去當兵了，之後的變數這麼大，我不希望給妳負擔。」

「那你跟學姊呢？」我不敢置信地問道。

「大四上就分手了，因爲她知道我心中有另一個女孩。」

「怎麼可能？」我一面笑，一面不自禁地流下眼淚。

「只有妳以爲不可能，還擔心我跟她會復合。」

「我怎麼會知道嘛！」

「其實我也很膽小，遲遲不敢表明自己的情感。還好能夠與妳重逢，要不然又要錯過一次了。」

他誇張的表情惹得我又哭又笑。

「早知道……」我們兩人同時開口，又因爲知道彼此想說的話，相視而笑。

「這次不能再做膽小鬼了。」我們在昔日的校園中許下承諾。

一個台北男人的上海愛情

很多事情否認是沒有用的，問題在於你什麼時候才肯承認？

文◎陳碧月

自從遇上Betty後，四十歲的他，開始檢視自己的愛情。

半年前，他把台北的公司打點就緒，便隻身前往上海探察商機。他在就業媒合的博覽會上當場選中了Betty。面談時，Betty告訴他，她拍過平面廣告；旅行是她的最愛，她才剛從雲南的女兒國旅行歸來。

他錄用了她，當然除了身材和外型，最重要在於Betty也喜歡旅行。

公司在籌畫期間，除了他這個老闆外，就只有Betty。時空的切合，讓他倆相依相惜，一種曖昧的情愫，在空氣中醞釀著。

他覺得自己上了年紀，喜歡說教，而對於小他十歲的Betty而言，他所謂的『說教』，無論在工作的學習、婚姻或愛情的看法與觀點上，都句句說中她的心坎。她對他說：「我交往了十年的男朋友都沒有你了解我。」

Betty的不對人精明計較，讓所有和她接觸過的台商，都不相信她是個道道地地的上海人。也許這也是他欣賞她的原因之一。

他固定兩個月回台北一個星期，算是對婚姻的交代吧！

他曾聽人說：「那種時間到了，覺得應該要結婚而成就的婚姻，其實暗藏著危機，而且是極其可悲的。」是的，如果當年的他能夠領悟到這一點，也許現在就不必如此坐困愁城了。

他實在想不起，從何時開始已和他的妻子漸行漸遠。

妻子曾在她娘家的公司上班過一段時間，小孩出世後，成了標準的家庭主婦，她不愛出門，除了照料小孩三餐，接送小孩上下學，其他時間不是看書、看電視就是在睡覺；而他卻喜歡戶外活動，所以，他們越來越找不到交集，連小孩的教育方式，也沒有共同的立場，孩子都覺得她落伍有代溝。

「你們認識那麼久了，難道在婚前沒發現志趣不合嗎？」有人這樣問過他。他也感覺到自己的愚鈍，難怪人家要說『婚』姻，也是『昏』姻。

他記得蜜月期剛過，兩人開始有爭執，妻子總是強勢地喊著要離婚，直到有一天他表示贊同後，離婚論就再也不曾聽她提起。爾後他一改以往『勸合不勸離』的論調，總是勸那些在婚姻中載浮載沉的人，要離就趁早。爭吵或冷漠的婚姻氛圍，對孩子的傷害更大。

一位男性友人在看過《失樂園》後對他說：「婚姻生活使夫妻兩人成爲『親人』，你能夠想像和親人做愛嗎？」

這話著實令他震耳欲聾。

一天晚上，他和Betty忙到晚上十一點才進辦公室，Betty準備打電話找她男朋友來接她，兩人手機講到一半，突然男友的手機通話中斷。

他對Betty說反正有兩間房，她可以留下來過夜，不必舟車勞頓，明早又塞兩個小時的車到公司。此時，電話響起，他說：「大概是妳男朋友打來了。妳接吧！」他便往洗手間走。

結果，Betty來敲他的門，說是台北來的電話。

妻子對於他的解釋並沒多說什麼，但從聲音卻聽得出她的震驚。

隔天一早，他的母親和兩個姊姊分別從台北、美國和馬來西亞來了三通電話。

兩天後，又是忙到晚上，Betty的男友和朋友正在打牌，於是，他搭計程車送Betty去和她男友見面，那是他第一次見到Betty的男友，果然如她所形容的高大英挺。站在一起，的確是郎才女貌。

Betty和男友兩年前原本也是在『穩定』的狀況下要結婚，但男友成立了一家公司，婚事便擱置了下來。

Betty和男友有一種相處的默契，只要她找他，就算他在打牌，也會馬上出現在她面前；但是，如果她沒有找他，他就會忙自己的事。

Betty開始上班後才漸漸發覺，她找男友的次數愈來愈少，而那些數得出來的次數，都是因爲感到內疚才主動的。

他喜歡下班後到Pub，Betty也常常和他耗到十一、二點。聽他講人生的大道理，結束後，再搭車大老遠地跑去找男友，等他打完牌。Betty對他說，這樣可以減少她心中的罪惡感。

他有一種自豪，他的條件其實比不上Betty的男友，但Betty卻對他有一種崇敬式的愛戀。比如，自從Betty在上班的第二天下班回家後，打電話回公司問他公事，那是第一次通電話，之後，Betty便習慣在晚上打電話給他，不論他們是不是晚上已經膩在一起很久了。

但更讓他感到自豪的是，他一直保持著兩人間應有的分際與界限。

他要到九寨溝旅行，邀請Betty一起同行，他保證不會對她有越軌的行爲。Betty十分掙扎，她對家人和男友撒了謊，製造了一個虛擬的員工，說是老闆招待她們一起旅行。

飯店的房間是兩張單人床，第一個晚上相安無事，兩人在公事的話題中入睡。

隔天，展開行程，兩人在優美而清靜的湖畔，他拿著數位相機，爲Betty按下一張張的回憶。在冷冽的空氣中，有兩顆火熱的心。

晚上，Betty打電話回家祝她母親生日快樂；母親告訴她，她男友還特地下廚煮了一桌好菜爲她祝壽。他看出Betty的心情有些低潮。

在房內淺酌時，Betty在酒精的催發下，有著狂野的放鬆。

他親吻著Betty的耳垂，問她還是處女嗎？她沒有給他任何的答案。

他知道不論Betty給他的答案是肯定的，還是否定的，他都要保住最後一道防線。無論是對他、對Betty、或是對即將成立的公司以及對兩人的關係都好。

他對Betty說：「妳要想清楚，我什麼也給不起妳，就算我離婚了，也不可能和妳結婚。」

緋紅著臉的Betty說：「爲什麼你不願意要我？你根本不信任我。」

「我不是不信任妳，我喜歡妳，所以要保護妳。我想，妳自己很清楚，妳和妳男朋友結婚是早晚的事了，兩家的互動又那麼熱絡，我們今天只要發生任何事，都會牽一髮而動全身。」他試著解釋給她聽。講這話時，自己都覺得像是超乎聖人的柳下惠。

他在Betty的眼中見到了失望。Betty說：「在你面前，我放下了身段、沒了尊嚴，我自己也搞不清楚爲什麼會這樣。」Betty掩面，聲音有些哽咽。

他將雙手疊上Betty的，把她的雙手從她臉上移開，讓兩人的雙掌相連著。看著她的淚水在眼眶打轉，他輕柔地吻去她即將落下的兩行清淚。

旅行歸來，兩人的關係更因爲沒有發生任何的『關係』，而烙印下難解的標記。

隔了兩天，他準備回台灣過農曆年，Betty來送機，有些依依不捨。在飛機上，他滿腦子是Betty的身影，他思索著，到了這個年紀還能談戀愛，實在是一種難得的幸福，第一次強烈地思念起Betty來。

等他這一趟再回上海後，辦公室會裝潢好，之前找好的兩、三個員工也會陸續進來，等業務開始拓展，忙碌的工作可以使自己分心，這樣對大家都好。再者，也許因爲自己的出現，Betty的男友會重新檢視和Betty的相處模式，加速他們結婚的腳步。他不自覺地點點頭，覺得一切都在自己的掌控中。

回到台北後，他感覺和妻子更加疏離。

他訪友、帶小孩出遊，想把放在心上的Betty移開，他卻在難以成眠的夜晚跑回辦公室，拿出數位相機、打開電腦，把九寨溝又重新走一遍，將Betty的笑靨，在腦中反覆咀嚼。

他怎麼也料不到，自己竟在不自覺中也陷了進去。他撥了電話給Betty，先是以公事搪塞，最後才問她會不會到機場來接他？

Betty沒有給他肯定的答案，她講話有些支吾，他知道一定是她男友在她身邊。

在開車回家的路上，從收音機流瀉出那英的《征服》，他想起他帶著Betty去聽那英的演唱會時的心情，透過Betty的興奮，他覺得自己變年輕了……

他決定明天搭最早的飛機回上海，他要把心底的話，眞眞切切地告訴Betty：「不要重蹈我的覆轍，因爲交往的時間夠久而理所當然要結婚的婚姻不見得會幸福，仔細想想妳和他是不是相契合，他到底是不是妳最愛的人？」

他把收音機的聲量關小的同時，才突然思索到：究竟是他『征服』了Betty？還是Betty『征服』了他？

相見太晚

在『港口』中，我是隻翩翩的舞蝶。
輕盈的蝶身，舉手投足深藏著柔情，帶著相見太晚的幽怨遺憾。

文◎狂心舞情．圖◎瘦子貝

夜，籠罩大地，五光十色的霓虹燈取代頂頭的鵝黃月亮，而我的忙碌，也正準備開始。

單身獨居，目前是這間『港口』的老闆。顯性的浪漫雙魚星座中，帶著隱性的水瓶叛逆性格，這也就是我爲什麼能獨立生存在這冷漠的都市裡，一個人周旋在這Pub內的原因了。

問我累嗎？的確有點。不過我卻樂此不疲。

在每個客人的身上，我可以讀出他們深藏眼底，不爲人知的故事。經營Pub讓我看清人性，體認人心，了解社會現實的殘酷和無奈。這些，都滿足了我大學沒考上的心理系，我挺愛研究人類的心理的。

「花老闆，給我杯冰啤酒！」

「花娘，來杯血腥瑪麗。」

來這的客人，不論是男女都愛替我稱呼前頭加上個『花』字，因爲我就像隻花蝴蝶，揮動著翅膀翩翩，在Pub內招呼著客人。

「先生，要些什麼嗎？」我對一名剛走進來的男士，禮貌性露出職業的笑容。

「Humter！」他頭也不抬回答我，似乎早預料到我會這樣問他一般。

遞上他所要的，我轉回身繼續和坐在吧台外的熟客談天說地。

凌晨四點接近打烊時，客人們在一眨眼的速度中離去，此時是我最享受的時段。拿出了CD，將『港口』的狂熱換上小夜曲。

安靜祥和的音樂像淙淙溪水，流過我疲憊的心，清澈見底。輕巧的音符爲今晚畫下句點，屬於夜的寧謐。

「買單！」

是他！他是今晚最後一個客人。

「你是第一次來嗎？我以前並沒看過你。」

「嗯！」他喝下最後一口鮮紅液體。

「What's your name？」我動手收去吧台上殘留的杯盤狼藉。

「Alex！」他冷著聲，讓我微微一顫。

「我叫Alex！」他傾身向前越過吧台，邪魅的笑在我耳邊低語：「記著！」

有意思！我嘴角揚起一抹不易見的微笑，對著他消失在門口陰暗夜色中的背影輕聲說道：「謝謝捧場，歡迎再光臨。」

星期三的夜晚，外頭的天空昏暗。『港口』內的燈火倒是十分的輝煌耀眼地照在每一位來往的客人身上。

「花老闆，跳支舞如何？」Peter伸出了他的手，如同往常，又一次試探性地盯著我瞧。

「不，謝了。我還有要事必須忙哩！」我微微欠身，拒絕他好意的邀約。

開玩笑，一旦和Peter下舞池，那今晚的生意就不用做了。我不樂見客人爲我爭風吃醋的場面，所以我從不在營業的時間中步入舞池。

經營Pub也不是一天兩天的事，各式各樣的人我看多了。醉翁之意不在酒的不在少數，鮮少人是爲了眞正飮上一杯而來的。

一爲美色，二爲內心的塵事找個落腳，三只是找個人聆聽心中怨言，偶爾分享快樂，與另一個寂寞的靈魂共渡此夜，而我所扮演的就是這三個角色：美人老闆、感情顧問、心情垃圾桶、客串紅娘，日復一日。

向我表示愛意的，Peter不是第一個，也不可能會是最後一個。我一向懂得以什麼樣的手腕來找台階下，不愛讓自己和客人無所適從。

「如果沒有他，我會考慮你的。畢竟你也是個不錯的男人。」

Peter了解我的用意，開朗地舉起Singer，一飮而下。

「謝謝妳的安慰。」

轉向吧台的另一暗處那雙深邃的眼睛，我不由心底輕聲笑著。

「什麼時候來的？想要喝點什麼？」

「隨便！」他回答。

「喔喔！我店裡可沒有隨便這東西喔！」我挑他語病。

「妳隨便給我調杯能喝的就好了。」他用不耐煩的聲音對我揮手，像是在趕蒼蠅一樣。

加入白蘭地和白蘭姆酒，再放入Cointreau，一杯漂亮的Between the Sheets上桌了。

「這是什麼？」他啜了一口問我。

「好喝嗎？」我笑而不答。

「香香甜甜的，像妳在床上的味道。」

「賓果！這就是Between the Sheets。」

「妳這小女巫！」他沉沉地笑著。

「來很久了嗎？」

「不！只是剛好趕上看到一場表白戲！」他好整以暇地說。

「那演的還精采嗎？」給自己送上一杯Screwdriver，橙黃色的晶瑩浮沉剔透的冰塊，猛烈的伏特加往喉嚨衝，酒味在口中徘徊不去。甜橙配上伏特加，的確別有一番的風味。

他看著我喝下螺絲起子，輕柔撫著我的臉。

「劇本太過落俗了，不怎麼好看。不過女主角卻亮麗得要命。」

他俯下身子，含住我的耳垂，「舞兒，妳真是越來越美了。」

我輕笑推開他，「還不都是你調教的好。」

「那你該怎麼樣謝我啊？」修長的指腹抬起我下巴。

我斂下星眸，盯著他的唇，趁他不注意欺上他的。靈活的粉舌勾纏著他的三魂六魄，不任他逃。

白蘭地和伏特加的酒精，在我倆的身體中發酵，還有愛情。「一切都聽你的！」

房間內是一片的春色，我躺臥在他的身上，陽剛的氣息圍繞著我。歡愛過後的他像小孩子般安穩睡去，無害的臉龐上有著汗珠。

調皮的向上挪個位置，吻去了他的汗水。

他睜眼，猛然再度將我壓在他身下，雙手不安份在我身上游走。攫住他摯愛的玫瑰色，我輕叫出聲。

一個挺然他已在我體內散播溫暖，規則卻狂妄的律動著。引點著火的大手在我每一處肌膚上緩緩點燃那把無名的熱火奔騰。

他從背後摟著我，一隻腳丫子還橫跨過我的腰。

「等等不是還要上班嗎？怎麼不多睡一會？」我說。

他扯過我的手指，似玩似認眞啃咬著。「誰叫妳先誘惑我呢？」

「胡說！啊……痛！」

「處罰妳的不誠實。」他吻吻剛剛咬在我背上的月牙紅痕，隱隱發痛卻也有說不出的曖昧。

「舞兒，我老婆要回來了。也許日後我不能常上『港口』。」他丟了一顆炸彈，我身子明顯一僵，因他起身而滑落的被單竄進一絲冷氣。

Alex是有婦之夫，跟他的日子已經快邁入第二年了。和他初識的那天正好是他的大喜之日，他卻獨自來『港口』渡過他的新婚之夜。讓我不明白的是，他的老婆不是應該住在加拿大嗎？怎麼一下說回來就回來了？發生了什麼事？難道……

「別想太多，沒什麼事的。」他拾起被子，蓋上我裸露的身體。

「我知道了，你自己小心開車。」我笑著。

除了這樣說，我還能說什麼呢？身爲一個第三者，既不能求名份，也不爲錢財，只是心底有個願望罷了。在我還沒離開他前，好好的陪他，一個我深愛的男子，這樣就夠了。

「妳多睡一會，我上班去了。」他在我額上一吻，開門離去。

聽到樓下傳來他車子引擎發動的聲音，我只有重重地嘆息。

我就像候鳥一般在各處尋個住所，不過時間一到、季節一轉，我也該收拾收拾，給自己再找下一個安身的地方了。

至少我知道，這一季的時光，我過得很快樂。也許是因爲認識他，也許是因爲有他的日子，也許是因爲……他是最初的愛。

「不在乎天長地久，只在乎曾經擁有。」

只能說是，相見太晚吧！就算時間只差個一、兩天，人的緣份和際遇都是會有不一樣的。

到今晚爲止，他已經有兩個禮拜沒上『港口』了。

「小蝶，來杯Blue Moon吧！」耳熟能詳的聲音在我耳邊開朗地響著。

「海豚，怎麼有空來？」

林海云，我的大學傳播系同學，目前是C大電台的紅牌DJ。

因爲我的Pub叫『港口』，所以她堅持我叫她海豚。

我快速俐落調好Blue Moon送上，她只是稍微聞了會，甜美醉人的嗓音對著我道：「Blue，憂鬱的代表色，妳現在的心情配上妳極佳的手藝，很能夠讓我品嚐到那暗夜中Moon的憂鬱情緒。」

「拐彎抹角就是稱讚我手藝好嘛！」我笑著看海豚拿起舞台上的麥克風，難得露出頑皮的笑顏，Pub內迴盪著客人的安可聲和海豚的高昂歌喉。

一個女人進來了，本來我不該太過於注意她的。不過我卻認出了，她……是Alex結婚照上的另一位主角。

她紅腫雙眼，一進來的氣勢是大剌剌坐在吧台邊和我面對面的位置上。

「喝點什麼？」我職業的笑容是否略顯僵硬？

「有沒有牛奶？」她可憐兮兮地問著。

和我在一旁的工讀小妹差點暈倒在地。

我禮貌性的搖搖頭，「對不起，沒有。」

Alex怎麼把這個天眞的老婆扔在外頭受委屈呢？

「那有沒有汽水？」她不死心再問。

小妹看不過去在我耳邊嘀咕，「她以爲這裡McDonald啊？」

「給妳來杯低酒精的香檳和兩片烤奶油吐司吧？」我對她微笑著提出建議。

看著她狼吞虎嚥的吃喝完後，一臉滿足的笑著，我卻在心底埋怨Alex。

「對了，妳叫什麼名字啊？我叫夏薰言。」過了一會兒她問我。

「敝姓江，江舞蝶。是『港口』的老闆。」也是你丈夫的床伴，我在心裡偷偷補上這一句，爲她的天眞讓自己感到愧疚。

她聽了似乎很贊同地點點頭，「嗯，妳的人就跟妳的名字一樣，妳好漂亮唷！」

我苦笑著，心裡有點兒不知所措，如果她知道我和她之間有個共同的男人，還會不會這麼說？

她就這樣和我有一搭沒一搭地聊著，到後來就「蝶姊姊」、「蝶姊姊」的，親熱地和我交心；最後終於不出我所料地，將她心裡最擔憂的事情也告訴了我。

「蝶姊姊，妳知道嗎？我最近剛從加拿大回台灣找我老公，可是卻感覺到他好像……」說不到幾句話，她居然哽咽了起來。「可是他好像有外遇了，對我都愛理不理的。今天我去找他吃晚飯時，他居然說他沒空！人家好難過喔！」

「別這樣嘛！說不定他是眞的沒空啊！」我難過安慰她。

「而且他從結婚到現在都沒碰過我！可是爹地和媽咪都很想抱孫子，可是他……他……」小薰終於受不了，「哇」地一聲哭了出來。

「乖乖！」我緊急把她帶離客人群，來到樓上的小起居室。

「蝶姊姊，妳長得這麼美，妳一定知道怎麼勾引男人對不對？」小薰抬起無辜的眼，信任的神情讓我想殺了自己。

「妳眞的想知道嗎？」我困難開口，畢竟他的對象是Alex。那個和我在床上廝磨近兩年的男子。

看她堅定點點頭，我輕附在她耳邊細語幾句。Alex，你可千萬要原諒我啊！

午夜十二點，小薰喝得醉醺醺，我打電話找到了Alex！

不消半小時，他風塵僕僕走了進來，橫抱起滿臉通紅的小薰。臨走前頗有深意望了我一眼，是在責怪還是在生氣呢？總之，他和小薰就是走了。走出店門時，我有預感，我和他快吹了。

「像妳這樣多好啊！」海豚喝了一口Rusty Nail，目不轉睛盯著我。

今夜打烊的早，一杯純德國的黑啤酒伴我和海豚閒話家常。

「這種日子過不久的，我也二十好幾了，這種日子我不想再過下去了。或許我也應該好好考慮M電台的邀約，去當個深夜的夜貓DJ。」我提出自己的看法，而M電台的一直邀約總是讓我有點不好意思。

「妳放得開嗎？妳愛他嗎？」

「都走到這一步，無所謂放不放得開。他是有妻室的人，就算不想放手又能怎麼樣呢？難不成還能告他強暴嗎？法官不是傻子，這種事是你情我願的。我只要眞正的愛過一遍就足夠了。」

「那妳這次是鐵了心想離開『港口』了嗎？」

「嗯！怎麼妳好像很有興趣的樣子？」我眼中閃過一絲訝異。

「知我如妳。找個有空的時間把手續都辦一辦吧！」

「然後我去當DJ。」

「換我來當老闆。」

我和海豚同聲笑著，笑容中卻藏著深沈的悲切。

我有我的故事，海豚有海豚的遭遇，每個人的故事都不同。而我的故事在和Alex交會時，在闇色天空中漂亮的撞擊，閃過那一季的燦爛煙火後，以迅雷不及掩耳的速度滅去。

兩年就已經夠久了，是相見太晚吧！

能夠遇上他，讓我懂得什麼是愛，我就很滿意了。

那夜，躺在大床上的我睡得挺熟的。如果不是那串鑰匙相碰聲和門把轉動聲，我也不會醒過來。

一雙粗糙大手撫過我的臉頰，我稍稍睜眼望了來人，壓下心中的錯愕，安心的把自己交給他。

「唔！」他狠狠地吻住了我，很暴怒的一吻喔！

「妳居然教小薰怎麼誘惑我，妳是不是皮在癢了？」

「我……」

「很好，現在換妳來誘惑我。妳這魅人的小女巫。」他捧著我的臉，強迫我張開眼睛。

看著他，我笑了。

這個傻瓜，居然不抱他家的老婆，跑來這找我。這一夜，天在凌晨五點亮了一絲曙光，可我和他卻狂愛到午后。

「我愛妳。」

這是我已經沒力氣時，他對我說的一句話。

他並不是沒有對我說過，只是在我要離開他時，能再聽到這三個字，讓我異常的感動莫名。

「我也愛妳。」把頭埋進他寬闊的胸膛，這裡以後只能讓他抱著妻和兒了。

一顆未經我允許的淚珠，悄然從眼眶中落在他身上。

「怎麼了？哪不對勁嗎？」他慌張起來。

「沒有，只是太感動了吧！」我靠著他的肩膀，定定地看著他。

「妳如果喜歡的話，以後我天天都說給妳聽。」他笑了。

也許是我笨吧！並沒有聽出他話中有話。

「嗯！好啊！」我也笑了。

用手碰觸著他的一切，這是他俊逸的臉，他的唇，他的胸，他溫柔的手。

「我要和小薰離婚了。」他突然講了這一句，我的手微僵。

「妳會嫁給我嗎？」

就當他在安慰我吧！在逗我開心。

「會啊！」我笑逐顏開，「不過，你不會和她離婚的。」

「爲什麼？」

「因爲她是如此的天眞善良，你不會忍心傷害她的。如果你傷了她，等於傷了我。懂嗎？」

「舞兒……」

「何苦呢？如果你傷害到她，我會離開你的。」我靜靜地告訴他。

「我知道了。」他握緊的手一度鬆了又放，終於告訴我這一句話。

「只能說我們是相見太晚吧！」

拿出了趙詠華的CD，輕柔悲傷的旋律在室內幽幽地唱著《相見太晚》。

「舞兒……」他想開口，我遮住他的嘴。

「你對我眞的很好，這樣就夠了。我不要你再去傷害小薰，她天眞浪漫，是一個很好的女孩子。値得你去呵護。答應我，好嗎？」

他不發一語看著我，什麼都沒說，點了點頭。

『港口』營業的時間到了，可是藍漆的鐵門上卻貼出了整修的告示。我站在門後，看著見到告示的客人來回往返，心中倒是想跟他們說抱歉。

一個一個來了，又一個一個走了。也許過些日子他們就會把我這隻蝴蝶給忘了吧！生活在都市中的人們是忙碌的。誰會費心去記著那隻在『港口』翩翩起舞的江舞蝶呢？

況且，『港口』對於曾經來這兒的客人就像是個驛站，每個人都是過客，誰會記得誰呢？

只是在生命中，它曾出現在你的生活裡，而我，也只是曇花一現的一隻小蝶，在你的生活中舞著舞著。

學有專精

「我找到工作了！我找到工作了！」小虹一進門就大喊，引來了室友的注意。

「什麼樣的工作？」室友問。

「一家大公司的總經理祕書。」

「講重點！講重點！一個月薪水多少？」

「五萬元。」小虹得意的說。

「什麼？妳不會打字，不會速寫，不會整理檔案，連國語都不標準，老闆為什麼要付妳那麼高的薪水？」

「因為……我不會懷孕。」

遇見百分百男孩

雖然，未來充滿了未知數，但是我終於明白，愛情來的時候，就該勇敢去愛，何況是對一個百分百男孩呢？

文◎自由

寂靜的街道上吹著蕭瑟晚風，依然挺直腰桿盡忠職守的昏黃路燈，襯得黑夜泛出濃濃的神祕，讓人有種置身險境的幻覺。

在這個充斥著詭譎的氛圍裡，巷底的那一端突然傳來劇烈的聲響，我正張著極爲憤怒的雙眼，死命地望向一旁的男孩。

我極力隱著激動的情緒，胸口不停上下起伏，有那麼一刻，我甚至以爲自己會做出什麼震驚社會的刑事案件。

這一切全都要歸咎於歐澤夫，若不是他突然像鬼魅般的出現在我面前，然後又莫名其妙地冷不防在我唇上印下他的溫度，我也不會賞他重重一巴掌。

我不停地用著右手，來回用力擦拭著，差點沒讓嘴唇磨破幾層皮。

天啊，這可是我的初吻耶，竟然如此輕易的被這無賴奪去。

「歐澤夫，你這個大混蛋、臭雞蛋、王八蛋！」我忍不住朝他咒罵。

實在搞不懂，這個在校以風流聞名的孔雀，是什麼時候開始對我產生興趣的呢？甚至還埋伏在我補習課後回家必經的路上。

可恨的是，當我氣得七竅生煙時，他竟還表現出一副樂在其中的樣子。

這分明是神經病才會有的症狀嘛，哪有人被打了，還笑得出來啊。

這個時候，他朝我大跨近了一步，我見狀嚇得反射性地退避三尺。

「你要幹什麼？」我試著讓自己的情緒冷靜下來。「我告訴你，你休想再靠近我一步，否則我鐵定跟你沒完沒了。」

他依然沒說話，只是突然踱步到一旁的路燈下，黃昏的燈光映照在他的臉上，形成了一幅引人入勝的絕佳畫面，就好像在欣賞大師的驚世之作般，令人忍不住的打從心底發出讚嘆。

唉，難怪有那麼多的女孩，情不自禁地對他投懷送抱！

「喔，既然如此，我倒很想試試看，妳會用什麼方法和我沒完沒了。」他背靠在牆上，擺出一個模特兒般的姿勢，微薄的嘴角勾勒出迷人的弧線，畫面完美的程度彷彿像是從雜誌裡走出來的人一樣。

「你到底想要幹嘛？」我用很恰的語氣說。

他笑了下。「我並沒有要做什麼，只是來接我的女朋友回家而已。」

誰是他女朋友啊？可是，這裡除了我跟他兩個人之外，並沒有第三者存在。

God，他該不會眞的是腦袋有問題吧，怎麼會在三更半夜到處認女朋友？

至少，從他那特殊含意的眼神裡，我可以清楚的明白，他根本就是蓄意的。瞧，他笑的有多邪惡，難道他以爲全天下的女人，都會拜倒在他的牛仔褲下嗎？

我裴佳琪偏偏就不吃那套，只要是別人越喜歡的東西，我就越是討厭。

在我看來，那些自以爲是布萊得彼特第二的男人，老愛擺出一副驕傲自大的模樣，女人一個換過一個，還會大言不慚的在眾人的面前宣布他的風流情史，每一次這樣的事傳到我耳裡，只有更加確定我心裡的想法，而又不免爲女人感到悲哀。

「我不懂你在說什麼。」我斜睨了他一眼，發現他的焦點始終放在我身上。「今天的事，算我倒楣，我也不想再追究了。」

說完，我轉身就想走，腳步才剛跨出去，卻被他修長的手臂攔截下來。

「喂，你吃飽了沒事幹是不是？如果你想玩遊戲，大可去找你那些紅粉知己，本姑娘可是沒那閒功夫陪你玩。」

「對不起，如果耽誤到妳看書的時間，我很抱歉。」沒想到他一開口，竟然是連番的道歉，這倒令我有些不好意思，感覺上好像我太大驚小怪了。

「沒…沒關係啦。」我淡淡的說。

算了，看在他既誠懇又迷人的表情上，我就別再對他那麼兇了吧！好歹人家也被我呼了一巴掌，我們算是扯平了。

「還有什麼事嗎？」我望向他仍擺在我身前的手臂，示意著他。

驀地，他像是想起什麼似的趕緊收起手臂，尷尬的表情在一向酷勁的臉上，形成難得的對比。

「妳有男朋友嗎？」他問。

「沒有。」我老實的回答。

「那好，從今天開始，妳就是我的女朋友，而我當然就是妳的男朋友。」他忽然正經說。

我有些愣住了，老實說，他這番話的確在我的心裡，造成不小的震盪，我不敢十分肯定的否認，心裡沒有因爲他這句話而產生愉快的感覺，但那並不代表我就必須認同他。

「我不知道你在說什麼。」我裝傻。

「不管妳同不同意，我都認定妳是我的女朋友。」他臉上的笑，並沒有因爲我的拒絕而消失。

在我看來，他是一個很愛笑，笑起來又特別迷人的男生，這一點，倒是讓我十分欣賞。

後來，在他的堅持下，我被強迫坐上他的機車後座，戴上他爲我準備的淡藍色安全帽，一路讓他護送我回家。

望著他消失在巷口的背影，我忽然覺得，能有一個人這樣愛護著自己，也是件不錯的事。

一早抵達學校之後，我走到自己的座位上，驚訝的發現桌上仍冒著白煙的早餐。

「小俐，妳知道這是誰買的嗎？」我隨手捉住正從我桌旁經過的死黨。

「喔，妳說這個啊，我不告訴妳，除非……妳分我一半。」

結果那一碗熱騰騰的滑蛋牛肉粥，幾乎有一大半都落入小俐的肚子裡，而我竟然也忘了問她，早餐的主人是誰。

下午最後一堂的體育課，我因爲大姨媽的來臨造成身體不適，只得待在一旁看台，無奈地看著正在上籃球課的同學。球場上除了我們這班娘子軍團之外，還有一支男子軍團在活動。

我的視線不自覺地被某個奔馳的身影給吸引，而那背影竟給我一種熟悉的感覺，此刻他又投出一個漂亮的三分球，球場上頓時充滿歡呼聲。

我很想看清楚那個男孩的臉，只好強忍著腹部的疼痛，穿過人群來到場邊。

原來，那個正接受眾人歡呼的人，就是昨晚莫名其妙說要當我男朋友的歐澤夫。

剎那間，一陣突如其來的疼痛，毫不留情向我襲擊而來。

陷入黑暗之前，我唯一念頭就是趕緊離開這裡，因爲，我知道他發現我了，並且正帶著自信的笑容，朝我的方向走來。

隨著眾人的驚呼，我隱約看見掛在他臉上的驚恐。

白色的天空中飄著白色的雲，白色的花叢中白色的蝴蝶在飛舞，我究竟身在什麼地方呢？爲什

麼我觸眼所及的一切全都是白色的。

我在原地打轉，突然發現不遠的前方泛出一絲藍色的亮光，我尋著閃爍不停的亮點不斷前進，但是，在我即將抵達之前，它卻突然消失不見了。

我焦急的腳步前後徘徊，心裡的恐懼一擁而上，激得我的眼淚不斷飆出眼眶。

我彷彿聽見遠方傳來的呼喚聲，有人在叫我的名字。

於是我循著那個溫柔的聲音，一刻也不停歇地在煙霧迷漫的白色森林中摸索，突然一個不留神，雙腳踩空，我整個人跟著跌入無底的懸崖裡。

我扯著喉嚨大喊救命，不斷揮舞的雙手努力的想要抓住一點什麼，就像即將溺水的人一樣，急著想要一根浮木。

在我心灰意冷的宣告放棄之際，卻像是靠了岸的船，不安在傾刻間被一股溫暖所包圍。

我緩緩睜開眼睛，讓一室的白落入我的眸內，我有些不確定自己在哪裡。

慢慢的，我將視線由白色的天花板上移下來，卻在剎那間，又差點被眼前那張過度放大的臉給嚇得再次暈厥！

歐澤夫一臉擔憂的坐在床畔，一會兒猛盯著我的臉看，一會兒又在我臉上東摸西摸的，搞得我不得不出聲抗議。

「喂，你不要趁機吃我豆腐好不好。」我不悅的看著他。

「呼，妳終於醒了。」他像是鬆了一口氣般，繃緊的肩膀終於放鬆了。

「你該不會在一直在這裡照顧我吧？」我遲疑的問。

他沒有回答我，反而道出心聲，「妳知道嗎，看到妳在我面前昏倒，差點沒把我嚇出心臟病。」

看著異於往常的他，我竟一時語塞。

早知道就聽老媽的話，請假在家休息就好了，幹嘛還逞強呢，這下可好了。我的眼眸一掃，又發現自己的右手一直被他握著，這才想起那股溫暖，原來是來自於他。鬼鬼祟祟瞄了他幾眼，小心翼翼地試著讓自己的手由他的掌握中解脫，原以為可以神不知鬼不覺，沒想到最後我不只失敗，還讓他逮個正著。

可惡的大色狼，幹嘛把我的手握得那麼緊啊？

更氣人的是，我發現他的唇角竟然微微的抽搐著，那分明是強忍著不敢笑時才有的表情，這倒是讓我有些老羞成怒了。

「喂，你可以放開我的手了。」我裝出一個很欠揍的表情對他說。

「看來妳的精神是恢復得差不多了，才會又變得那麼嗆。」他說，給了我一個他的招牌笑容。

哼，我才不會被你的笑容給迷倒勒！

「你不要故意扯開話題。」我開始用力掙扎。「還有，我本來就是這種個性，如果不喜歡，沒人勉強你。」

話才說完，我馬上就後悔了，因爲整句話聽起來，好像是我默許了他是我的男友一樣。

果然，不到三秒鐘的時間，他臉上的表情已從先前的擔憂，轉換成該死的自信。

爲了不讓他有取笑我的機會，我又繞回剛剛的話題。

「你到底什麼時候才決定把我的手放開。」我再一次提醒他。

「等妳答應當我的女朋友的時候。」他笑了一下，開出條件。

「如果我不答應呢？」我鼓起勇氣，正面與他的眼神交會，才發現他的眼珠子，是異於中國人的偏藍色。

「那妳就準備被我牽一輩子吧！」他露出好看的笑。「其實，這個主意也不錯。」

「你休想。」我大聲道，試圖升高氣勢。

沒想到，他卻在此時，送給我一個『咱們試試看』的表情。

於是，我趁著他側身過忙著替我拿水的時候，念頭一轉，忽然哀叫出聲。

「我的肚子好痛喔！」

「妳怎麼了？肚子又痛了嗎？我去找醫生來。」一聽到我的慘叫，歐澤夫馬上神色緊張了起來，若不是我及時反抓住他的手，他可能早已經衝出去把醫生拉來了。

「我沒關係啦，休息一下就好了。」我繼續演戲。

他焦急的神色，在我心裡造成不小的衝擊，那是一種前所未有的感動。

「那我去拿熱毛巾來，我聽說在腹部敷熱毛巾好像有點兒效，妳等我一下，我馬上回來。」說完，他馬上一陣風似的消失在我眼前。

我茫然的看著他離去又回來，這短暫的片刻，讓我體會到很多，我一直拒絕接觸的、另一個世界的感受。

望著他原本應該充滿陽光的臉，在此刻佈上不協調的陰影，我竟迷惘了。

或許，我該試著走進那個世界。

自從那次事件之後，歐澤夫雖不強迫我每天與他一起上下課，卻十分堅持，只要晚上必須補習，就一定要在下課前二十分鐘打電話給他。

理由不外乎是，女孩子晚上獨自回家，是件十分危險的事，更何況他有保護自己女友的責任。

但我總覺得我們並不是正式的男女朋友關係，所以並沒有理由去麻煩他，於是，諜對諜的遊戲就此上演，就看誰技高一籌。

剛好今天老師有事必須先行離去，所以在宣布提早下課的同時，我拎起桌上的書就往門外跑去。

在人群的夾雜之下，我順利的穿過一條又一條的街，於抵達誠品書店時，終於安心的解除心裡嗡嗡作響的警報。

在看完一本書之後，才發覺時間已經不早了，於是，我趕緊拎起揹包，加速步伐的往回家的路上邁進。當我一走進巷子裡時，我開始不自在了起來。

這條陰暗的巷子，我除了白天時曾走過幾次之外，從未在晚上行經過，如果我早知道它看起來是這麼陰森的話，說什麼我也不會因爲想抄近路而冒險進來的。

然而，在漸趨加快的腳步中，我似乎聽到了不屬於我的異常聲響。

而爲了證明自己的猜測是錯誤的，我只得鼓足勇氣回頭一探究竟。

呼，什麼嘛，不過就是一隻流浪狗跟在我後面而已！於是，我開始安心的放緩步伐，而身旁的那隻小狗則跟在我身後亦步亦趨，樣子煞是可愛。

嘴裡哼著江美琪的歌《親愛的你怎麼不在我身邊》，想到馬上要到家了，心情也不自覺地跟著放鬆起來。直到巷子的那一端再度傳來異常的聲響時，我才像驚弓之鳥般收拾起玩樂的心。

遠遠的，我似乎看見位於巷子底端的那盞路燈下，有個人影縮蹲著，不時傳來陣陣咳嗽聲。

我驚訝的張望著那人所處的位置，正巧是那夜我被歐澤夫奪去初吻的地點，於是，我不自覺加快腳步走近，想更清楚看見那人的臉。

「歐澤夫，你怎麼了？身體不舒服嗎？」我擔心的問他。

他又連咳了好幾聲，才緩緩的抬起頭。「妳回來了啊！我等妳好久了。」

不會吧，這麼冷的天氣，他到底在這裡等我多久啦？我主動的握住他的手，卻被那裡的冰冷給震住。

「你這個笨蛋，誰叫你在這裡等我啦？」不知爲什麼，心疼的感覺逐漸發酵，連眼淚也都不爭氣地泛上眼眶。

「我打了妳的手機好幾次，一直不通，我想可能是沒電或沒開機吧，但是我又不放心妳，所以只好在這裡等。」他給我一個無力的笑容。

我難過的看著他，頓時間，所有壓抑的情緒一擁而上，我竟像個小孩般撲倒在他懷裡，哭得唏哩嘩啦，一發不可收拾。

跌坐在地的兩個人，就這樣緊緊的相擁在一起，而他的雙手，則不停地安撫我的背，像是要將他所有的深情一次傳達到我心最深處。

「如果我今天臨時決定到朋友家去住宿的話，你該怎麼辦？」我哽咽地問他。

「妳今天不回家，明天應該會回家吧。」

他毫不猶豫的回答，讓我的眼淚掉得更兇，幾乎就要浸濕他整片的胸襟。

「你明明知道我是故意躲你的，爲什麼還要這麼做？」

「因爲我愛妳。」

他溫柔的語氣，讓我的心跳差點停止。神啊，請你不要懲罰我的殘忍，我只是想用時間來證明，自己不是吃了毒蘋果的白雪公主而已。

然而，事實卻告訴我，不是每一顆美麗的蘋果內心都是腐爛的，就好比現在抱著我的這一個，有如日劇《戀愛世代》中那顆晶瑩剔透的水晶蘋果般，用他最真誠的愛，來灌溉我這棵始終不願開花的向日葵。

緊握的雙手，像宣誓永恆的愛情傳說般，再也不願輕易放開。

我不敢用哭到紅腫的雙眼看他，只好將視線放在自己蜷曲的膝上。

「你知道嗎？其實我一直不是很相信愛情的，尤其是長得帥的男生。」幽暗之中，我敞開心房對他傾訴自己的心情。「所以，一開始聽到你說要我當你女朋友時，我甚至懷疑你只是在開我玩笑。」

「我知道。」他笑了下，用著沙啞地嗓音。

「你怎麼會知道。」我驚訝地望向他，忘了臉上掛著的兔子眼。

「知己知彼，才能百戰百勝。」他勾勒出一個虛弱而迷人的笑容，「其實我也是託朋友向妳的好友，那個叫阿俐的打聽了好久，才知道這些事的。」

喔，原來是有計畫性的啊！難怪我總覺得哪裡不對勁。

「既然你知道這些事，還敢來追我啊。」我嘛起嘴，竟對他撒起嬌來。

忽然，他一個快動作，順手將我的臉攬在他身前，與他的額相抵。

「沒辦法，誰教我就這樣深深爲妳著迷，雖然在被妳拒絕之後，我也考慮過要放棄，我以爲妳並不需要愛情，但是，自從上次妳在我眼前昏倒之後，我才發現，其實妳並不如外表給人的感覺那樣堅強，後來，我就告訴自己一定要好好的保護妳、照顧妳，這就是我願意在這裡等妳的原因。」

聽完他的表白，我的眼淚早已不爭氣的再次奪眶而出，只是這一次，我更加確定眼前的他，正是我等待許久的百分百男孩。

如果，錯過了這一次，我絕對會遺憾一輩子。

雖然，未來充滿了未知數，但是我終於明白，愛情來的時候，就該勇敢去愛，何況是對一個百分百男孩呢？

我想，等會兒我一定會對他說，謝謝你，還有我也愛你。

但是，在那之前，我決定先獻上一個吻，讓他知道，我也有一樣的心情。

蕭瑟的寒風，再也影響不了兩顆熱情的心。

就連天上的星星，都變得耀眼奪目起來。

網中情

老婆在網路上和別的男人調情，甚至為了和那個男人約會而盛裝打扮，而那個男人就是我？

文◎曼林

我不敢相信自己的眼睛！

一位穿著入時的女郎，坐在咖啡廳的三號桌，臉上薄施脂粉，更顯嬌美可人，一件旗袍式洋裝，襯托出她玲瓏有致的身材；即使是坐著，她優雅的氣質及曼妙的身影，仍吸引咖啡廳內所有人的目光。

女郎展現我完全不熟稔的一面，不再是那個在我枕邊睡了十三年的她。我從未注意過她舉手投足間所散發出的自然魅力，不禁懷疑著這些年來，自己是不是對她太忽略了，造成今日她必須對外尋求肯定？

如今，她坐在我指定的三號桌，神情略帶緊張，眼神飄忽不定的四處搜索，終於，她的視線與我交集，杵在門邊的我，頓時無所遁形。她內心的慌亂不亞於我，驚嚇之餘，她差點打翻桌上的奶茶。

本想逃離現場的我，在與她四目交疊的那一刻，狂跳的心壓抑不住地，彷彿自口中奔逃而出，可是，我不能那麼做，我必須確定，她到底是不是我所等待的她。

我告訴自己絕不可自亂陣腳，鼓起勇氣，故做鎮定地朝三號桌走去。

她見我走近，侷促不安地趕忙站起身，我刻意裝著神色自若的模樣，說：「坐啊，沒關係，我馬上要走。」並且小心翼翼的問：「在等人嗎？」

她不自然的牽動嘴角，乾笑了兩聲。「是的，在等一個朋友。」

她怪異的行爲舉止，更加深我的懷疑。畢竟她不懂得撒謊，十三年來，她從未成功撒過謊。

我故意四處張望，隨口問：「在等誰？妳等的人到了嗎？」在說話的同時，順勢在她對面坐下，因爲我知道她要等的人已經出現了，估算無誤的話，那個人就是『我』。

她當然不希望我坐下，可是終究沒有開口阻止。

「妳什麼時候買了這件衣服？怎麼從沒看妳穿過？」

她支吾其詞的說：「新買的，今天第一次穿。」

我的醋意在瞬間湧起，問：「是什麼重要的朋友，讓妳如此盛裝打扮？」

她搖搖頭，看著咖啡廳牆上的掛鐘，說：「他已經遲到半個小時，應該不會來了。」然後她一本正經的反問我：「你呢？你又怎麼會在這裡？」

這會兒輪到我說謊，我在心中快速掃描所有可用的藉口，可惜講出來的卻是再平常不過的藉口。「本來和一個客戶約在這裡，可是他爽約了。正打算回家，妳呢？妳還要繼續等嗎？」

「不用了，我和你一起回去。」

回程路上，我們保持靜默，我猜不透她心裡在想些什麼，她會不會後悔沒等到那個男人呢？

到家後，我開始生悶氣。我的老婆在網路上和別的男人調情，又爲了和那個男人約會而盛裝打扮，縱使那個男人是我，可是，她終究毫不知情啊！

我和她都有各自專屬的電腦，平日互不干涉對方的隱私，可是，我實在看不慣她一回家就急著開機，這樣的行爲挑起我不滿的情緒，我語帶憤怒的問：「那麼急著打開電腦幹嘛？不是有人在等妳吧！」

她緊蹙雙眉，不解的問：「我不懂你在說什麼？有幾封公司的信要回。」解釋到一半，她臨時想到，馬上轉換話題，問：「你今天怎麼回事？感覺怪怪的。」

我清一清喉嚨，不自在地說：「沒事，沒事。妳去打電腦，我要去洗澡了。」

洗完澡後，我迫不及待的在網上追尋她的蹤跡，果然，她已經在線上。我開始在線上與她對談，想藉此套出任何蛛絲馬跡。

「你沒來。」她問。

「我有去，可是沒見到妳。」

「我等了你三十分鐘，一直沒等到你。」

「不好意思，路上塞車，可能我到的時候妳剛好離開吧！」我胡亂編個理由搪塞。

「好可惜，真想見到你。」

「我也是。」我說。

「我們可以再約時間見面嗎？」

我沒有辦法把線上這個作風大膽的女孩和我的老婆聯想在一起，我問：「妳為什麼想見我？妳是不是對妳的生活感到不滿，我猜妳已經結過婚，是妳的丈夫對妳不好嗎？所以妳才上網尋求刺激？」

「你今天好奇怪，我早說過我未婚，為什麼你今天一口咬定我結過婚呢？」

「妳敢發誓妳沒結過婚？」

「發誓？太困難了……可能我結過婚，不過是上輩子的事了。這輩子，起碼到目前為止沒有。」

「好啊，妳想約在哪裡？這次由妳決定。」

「明天禮拜天，下午兩點鐘，你有空嗎？我們喝下午茶，在福華飯店二樓，我會在桌上擺一本聖經。」

「方便把妳的手機號碼給我嗎？」

她果然很大方的把電話號碼傳送過來。

關機後，我躡手躡腳的走到另一間房，輕巧巧地推開房門，看見她仍專心的在電腦前，似乎未察覺我的窺探。

我意圖撥那個我不熟識的電話號碼，卻又害怕自已的電話號碼會顯現在對方的手機上。這時老

婆突然問我：「你在那裡做什麼？」

我尷尬且不自在地推開房門走進去，試探地問：「妳最近有沒有再辦手機？」

「手機？我已經有一支了，不是嗎？」

這晚，我輾轉反側，難以入眠。忍不住想跑到巷口的便利超商，想用公用電話撥號，卻始終拿不出勇氣。

隔天中午，她眼神游移不定的對我說：「我中午和朋友有約，可能傍晚才會回來。」

我一直希望一切不過是我的錯覺，可是由線索歸納，網路上的女孩，果然就是『她』。

「妳要和誰出去？」

她毫不猶豫的回答：「明惠會來接我。」

找女性朋友做擋箭牌，我便不容易起疑心，這眞是高明的謊言。

我多麼希望網路上的女孩不是她，我無法接受我的老婆用挑逗的言語和別的男人對話，更不能接受她以此來排解對我的不滿以及生活的壓力。我知道這並不公平，如果她發現和她調情的人是我，我又該如何脫罪呢？我在雙重標準的洪流裡拚命掙扎。

下午兩點，我依約出現在飯店二樓。遠遠地，我看見老婆靜靜的坐著。

我從不知道她會那麼大膽，約在飯店是爲了用餐後方便辦事嗎？我不敢再想下去。

她的桌上果然擺了一本聖經，我不知如何是好，又不敢貿然進去，於是我決定向櫃台借電話，終於撥通了那個號碼。

接電話的人不是我老婆，可是不知怎麼搞的，電話那頭傳來的聲調卻似曾相識。

我沒出聲，那個人在「喂」了幾聲後，急忙問：「是你嗎？你在哪裡？已經兩點了，我在等你，你不會又塞車吧！」

我心中有千百個問號無助亂竄，如果這個人才是網路上的那個女人，那麼，我的老婆現在等的又是誰？又爲什麼我會對電話裡的聲音感到如此熟悉？一時之間，我無法理清充斥在我腦海的疑問。

正當我不知如何自我介紹的時候，電話裡的人恍然大悟的說：「你是瑜珊的老公，是不是？」

我更驚訝了，呆愣在原地，直對電話唯唯喏喏的說：「是……是……」

她說：「才把你老婆帶出來沒多久，你就急著找她？」

原來這是明惠的聲音。

我故意問：「妳們在哪裡？」

「在飯店喝下午茶。你要不要撥瑜珊的手機？還是她又收不到訊號？有事要我轉達嗎？」

「可不可以請她接電話呢？」

我看見明惠從角落走出往老婆的方向靠近。我掛上電話，決定回家等候老婆。

她們要等的人當然不會出現。果然，下午四點多，明惠就送她回來了。

老婆問我：「明惠說你找我，有什麼事嗎？」

我放下手中的報紙，說：「沒事，只是撥不通妳的手機，心裡有點著急。」

「你怎麼有明惠的手機？」她問。

我神色自若的答：「妳以前給的，妳忘了嗎？」順勢問道：「明惠找妳出去做什麼？」

老婆在冰箱倒了兩杯冰茶，遞給我一杯。「明惠最近認識一個網友，感覺上像是個不錯的男人，明惠不敢見他，怕那個男人嫌她胖，要我代打。不過，那個男人約了兩次都沒出現。」

我心中一塊大石總算落地了，「以後別答應這種事，萬一妳被人看上，我豈不沒了老婆？」

她開心的笑著。

我又問：「明惠打算怎麼辦？」

她聳聳肩說：「不知道，如果還有第三次見面的機會，我也不蹚這個渾水了。」

我走進書房，鬆了一口氣，將電腦電源打開，關掉聊天軟體。

我知道，短期內，我不會再上網了。

香影

「只要妳願意為我做一件事，我給妳錢，讓妳以後妳也住得起波斯地毯、名家雕刻的敦煌式佛像、樑柱融合阿拉伯宮殿與中國建築的豪宅……」身為『賤籍』的她，一心只想成為大唐社會裡抬頭挺胸、小有財產的百姓！

文◎白韭

再這樣下去，她只能做低等的妓女了，身爲歌妓，沈雲鬟不可謂不出色，但是長年的歌唱，讓她的喉嚨唱壞了，她的口裡，沒有了黃鶯出谷，餘音繞樑。受損的聲帶像破損了的樂器，『悅耳』兩個字似乎已經今生無緣。

這是歌者的命運，再好的嗓子也經不起頻繁的點唱。多少聲帶壞掉的歌妓，只能利用殘餘的美色，去謀取一點卑微的存在。然後就是年老色衰的淒涼。

沈雲鬟想抗拒悲慘的命運，試了中藥舖裡所有的潤喉祕方，以爲可以換回失去的美妙聲音。可是千金散去，沈雲鬟的歌聲依舊難聽，高亢動人的歌唱不了，溫柔婉轉的曲更不用說。最近她急得每晚偷偷哭泣。她不要，她不要淪落爲下等的妓女，她不要以皮肉換取金錢。

平康里，蛤蟆巷。歌樓妓院林立是這裡的風情，達官貴人，富商大賈，在這裡一擲千金。一擲千金啊，想當年沈雲鬟剛出道

的嬌嫩樣，不也教人忍不住一擲千金。對於尋歡客來說，錢，沒有什麼好在乎的，儘管豪放的撒去，爲她的美貌，更爲她的歌藝。

可是現在一切都不同了，她已經二十九了，女人過了二十五，皮膚就慢慢凋謝。她仍舊美，但已美得沒有水分，就像一朵乾燥花。色，慢慢的衰了，更糟的是，連聲音都壞了。老鴇子是沒有同情心的，在她落難時，更趁機落井下石。叫她不准接待客人，她的新工作，變成端茶送水，跑腿打雜的歌樓婢女了。當歌妓，是被所有人以掌聲捧在手心裡。當婢女，是被人呼來喝去，輕賤得不能再輕賤。她是當年的名歌手啊，一曲『琵琶行』顛倒多少眾生！她不甘，不甘啊！

「雲鬢，還不去端洗腳水？侯老爺乏了，妳看不出來嗎？」老鴇沒好氣的說著。

沈雲鬢最近越來越像婢女了，本來只是端茶送水，現在，連幫客人洗腳這種粗鄙的工作都要做。她咒罵著，花錢來這裡，就爲了洗腳，在家不能自己洗嗎？大庭廣眾之下洗腳，好顯示自己有錢，是個爺。有幾個錢就能這樣糟蹋人嗎？沈雲鬢恨恨的端了一盆水過來。忍著不咬牙切齒，硬是裝出笑臉把水盆放到侯老爺腳邊。忍著不呼吸，開始搓洗著侯老爺那雙滿是怪毛的腳。

「還不勤快點，再偷懶，我就把妳賣到低級妓女戶去。」老鴇子沒好氣的威脅著。

好不容易搓洗完，沈雲鬢鬆口氣的退到一旁站著，此時，年輕歌妓們開唱了，唱的是王維的『渭城曲』，正是陽關三疊的標準唱法，歌聲攸揚，卻隱隱藏著飲泣的哭聲。歌妓們爲什麼要邊唱歌邊哭呢？侯老爺奇怪著，只見老鴇子走到一邊去擰著沈雲鬢的耳朵。「小賤人，客人在聽歌，妳哭什麼哭？客人被妳哭跑了怎麼辦！妳要害老娘少賺了錢，老娘不扒了妳的皮。」

歌妓們停止了歌聲，看著老鴇和沈雲鬢的對談，侯老爺看著沈雲鬢，兩道眉毛揚了起來。

「媽媽，我偷聽到妳們說話了，妳說下個月初，就要把我賣到低級妓女戶去。妳連銀子都收了。嗚嗚，我不要，我不要。」沈雲鬢抗議著，以抽噎的哭聲。

「妳不要？妳嗓子都唱壞了，留在我這歌樓幹嘛？吃閒飯嗎？不把妳賣了，可要蝕我的老本。」

老鴇子以極度殘酷現實的態度說著。

「不要！」

「再囉嗦，今天就把妳送去妓女戶。」

兩人的爭執，侯老爺不但覺得不掃興，反而看得津津有味。老鴇子察覺到自己在客人面前失態，連忙向侯老爺陪笑臉，沒想到他一點都不在意兩人的爭吵擾了他聽歌，只是一臉笑容的對著老鴇子。「這個什麼，雲鬢是嗎？要賣多少錢？我買了。」

「侯老爺，她已經不能唱歌了，現在雖然臉蛋還可以，但是年過三十，很快就醜了。您買雲鬢這種沒有用的女人回家做什麼？」老鴇奇道。

「別囉嗦，多少錢，妳說吧！」

「五百！不不不……一千兩。」

「好，一千兩。」

沈雲鬢被當做一件物品一樣的，被『交易』到侯老爺手中。

這就是侯老爺的家，波斯地毯上頭，是名家雕刻的敦煌式佛像。樑柱融合阿拉伯宮殿與中國建築的兩種風格。在絲路上經商的侯老爺，顯然有著綜合各民族的審美觀。

「好別致的宅子。」沈雲鬢不由得讚美。

「只要妳願意爲我做一件事，我給妳錢，讓妳以後也住得起這種宅子。」

願意做一件事？沈雲鬢已被侯老爺買下了，做什麼事都是她應盡的義務。侯老爺竟要給她可以買下豪宅的錢？這對一個失去自由的人來說，十分奇怪。

「沈老爺，我不懂您的意思。」

「我要妳……」沈老爺壓低了聲音。「要妳混到我那商場死對頭——洪嘯天的身邊，設法弄到令他致富的『香囊』祕方。」

「祕方？怎麼弄？」

「我要妳成爲他親密的女人，然後在枕邊細語間問出祕方。」

「我已不能唱歌。說漂亮，也不比年輕時。外頭美女這麼多，他會喜歡我嗎？」

「就是要妳這種失去歌聲又年華漸老的可憐勁兒。洪嘯天最可笑的就是他的同情心，妳這個失去歌喉的可憐歌女，一定可以勾起他大男人的英雄救美心態，他一定會把妳帶回府去，好好照顧妳。」

「利用人家的同情心，太惡劣了吧！」

「事成之後，我放妳自由，而且送妳一棟宅子，再加送兩千兩。妳可以做生意，或者把這些當嫁妝，找個老實男人嫁了。」

成爲自由人，又擁有錢和房子，這對從小被賣進歌樓的沈雲鬟來說，是多麼美好的一件事。如果眞的如此。自己再也不是歌妓裡的『賤籍』。能成爲大唐社會裡抬頭挺胸、小有財產的百姓，這種小小的夢，對沈雲鬟來說，竟成了最大的魅惑。「侯老爺，這件事我做！您答應的報酬可一定要給！」

侯老爺和洪嘯天雖然是商場上的敵手，但彼此以朋友相稱，還小有往來。這一日，侯老爺邀了洪嘯天到他的宅邸，當然是不懷好意。

「嘯天，今天喝酒可要盡興。」

洪嘯天不語，默默喝了一口吐魯番葡萄酒。他把玩著盛酒的琉璃杯，輕輕晃動，葡萄酒血一般的光色，映著他削瘦英挺的臉。

「侯老爺越來越享受，看你的宅子，又不知多了多少異國的寶貝。」

「見笑見笑，不知嘯天有沒有吃過天竺料理？」

「天竺人吃飯用手抓，那種料理髒得很，我不吃。」

「他們的咖哩飯辣中透香，很帶勁。我們不用手抓，用調羹吃。」

「試試吧！」

侯老爺拍了拍手，沈雲鬢隨即婀娜的輕移蓮步，端來了兩盤黃澄澄的咖哩飯。

「端飯的這位是……我沒見過。」

「她是一個可憐的女人，我把她從歌樓贖出來，但是她身上的病，我卻束手無策。」

「束手無策？什麼病？」侯老爺的話引起了洪嘯天的好奇心。

「她從前是一個歌妓，喉嚨唱壞了。歌聲再也好不了。聽說嘯天老弟義薄雲天，任何人有難找你幫忙，你都義不容辭。」

「我經商多年，識得人多，一定有辦法讓這位姑娘的嗓子恢復。」

「那這位雲鬢姑娘就到你府上，由嘯天老弟妥爲照顧囉？」

「雲鬢姑娘是侯老爺從歌樓花錢贖出來的，是你的人，怎麼到我府上呢？這不行的。」洪嘯天推辭著。

「像她這種可憐的女人，只有俠義的嘯天老弟能好好照顧她。我把她買來，並不是要她當我的侍妾，只是同情她將要被賣到低等妓女戶罷了。」

「可是……」

「莫非你嫌雲鬢姑娘不夠美，不夠年輕？」

「不是，不是。」

「不是就好，就這麼定了。」

洪嘯天是長安城裡有名的香料商人，宮廷仕女、官家女眷，甚而妓院妓女，都愛用洪嘯天的胭脂水粉。而他的新玩意『香囊』更是時下新寵，只要將香囊配戴在身上，香味隨即瀰漫全身，這是香水灑滿全身才有的效果。配香囊，省了灑香水的費事勁，方便又有趣。這樣的發明，使洪嘯天累積了豐厚的財富。他用財富的一半在幫助貧窮困苦。他幫沈雲鬢找遍長安裡的中國名醫，甚至波斯的藥商，以及天竺的婆羅門巫醫。沈雲鬢沒有忘記她騙取香囊祕方的任務，對於洪嘯天的善良，她忍住了感動，執意狠著心，作一名侯老爺的商業間諜。

「雲鬢，有位峨嵋山來的老道士，很懂藥理。明天帶妳去找他看看嗓子的問題。」

「嘯天，別費事了。我的嗓子不會好的。我想做一些開心的事，你能不能幫我？」

「只要妳開心，我一定幫妳。」

「我看到你的香囊那麼受歡迎，製作起來一定很費工夫，這香囊是怎麼做的可不可以帶我去看，讓我開開眼界？」

雲鬢的嗓子一直無法治好，這對樂於助人的洪嘯天來說，是一件很大的遺憾。若能做些事讓雲鬢開心，也許能讓她忘了失去歌喉的痛苦。「好吧，明天帶妳去看。」

洪嘯天的香料工坊規模沒有想像中的大，兩個赤膊的工人用根鋼棍攪弄著一大桶的香料，十幾名裁縫匠趕著縫製裝香料的布包。沈雲鬢看著這裡，疑惑著這個小小的工坊竟能賺進大筆銀子，感到不可思議。

「我看過的香囊外表都有精工的刺繡。刺繡的工作，香料坊也自己做嗎？」雲鬢為了掩飾自己騙取香囊祕方的目的，隨便問了一個問題。

「刺繡的工作，我外包給長安附近作散工的婦女做。請專人刺繡成本太高。」

長安城裡學洪嘯天做香囊的作坊少說有四、五家，但沒有一家的香囊像洪嘯天的那麼濃郁。

「你的香囊，總是比人家香。裡頭香料的成分一定很特別，可不可以告訴我？」

「這是我的祕方，不能告訴任何人。」

「告訴我嘛！」

「就算是皇上親自來問我，我也不講。」

「你不講，我就不跟你說話了。」

沈雲鬢不但不能唱歌，現在連話也不說了。她的嘴巴唯一的作用就是用餐吃點心。她賭氣不說話，想逼洪嘯天說出香囊的祕方。可是一切都是徒然，各行各業都有祕方，祕方是吃飯的傢伙，絕對不能讓別人知道。否則，就會失去獨佔市場的優勢。

沈雲鬢來到洪府之初便跟洪嘯天同床共寢，她想在床上套他的話，卻總是不得要領。洪嘯天與沈雲鬢天天相處，無話不談，但祕方的事卻一個字都不曾洩漏。作爲商場上的一號人物，他確有其不簡單的地方。

沈雲鬢很急，急著問到祕方，好跟侯老爺拿房子和兩千兩的報酬。以女人特有的細心，她發現了洪嘯天胸前總是戴著一條鍊子，鍊子細緻的末端是一把金光閃閃的鑰匙。這鑰匙可能就是開某個寶盒用的，寶盒裡一定就是祕方了！

沈雲鬢的推測不錯，那鑰匙眞的能開藏祕方的寶盒。她大著膽子策畫，決定把洪嘯天灌醉。洪嘯天酒量極好，若要一起飲酒把他灌醉，恐怕洪嘯天未醉，自己就先倒了。於是雲鬢偷偷去中藥舖，配了安眠用的昏睡粉。

沈雲鬢偷偷的將昏睡粉放在洪嘯天的杯中。洪嘯天不疑有他，一飲而盡。這一飲，帶來了洪嘯天無盡的惡運。

「雲鬢，峨嵋山來的老道士醫術眞的高明，妳眞該給他……看……」洪嘯天不知自己被沈雲鬢算計了，還一心一意爲沈雲鬢解決困難，說完話他就睡著了。

洪嘯天睡得很沉，沈雲鬢輕手輕腳的拿下他頸上的鑰匙。做爲他的枕邊人，她知道洪嘯天藏寶盒的房間，她舉著蠟燭進了房間，對著一個又一個的寶盒試鑰匙。蠟油一滴滴墜落，像是菩薩的淚，悲哀沈雲鬢的良心喪盡。

沈雲鬢成功了，一個黃銅寶盒應聲而開。裡頭有一個錦文卷軸。那就是沈雲鬢夢寐以求的祕方：

各種花材製成香料前，必加紫斛花之臭滷水一升。後加水稀釋十五遍，成百萬分之一，能成此工。無論桂菊玫瑰，芍藥牡丹，皆香逾數倍，遠能聞之。

極臭的臭滷水，稀釋成百萬分之一的濃度，就轉變爲極香的味道。這種巧妙的方法，是別人夢裡也想不到的。難怪別人怎麼學洪嘯天做香囊，都學不來。

當夜，沈雲鬢從洪府消失了，帶著一半的歉疚和一半的欣喜，她的偷祕方任務，就這樣卑鄙的完成。

沈雲鬟走了之後，洪嘯天開始了他地獄般的惡運。侯老爺用比他低三分之一的價錢做香囊，令洪嘯天奇怪的是，侯老爺做的香囊，味道和他的香囊極爲相似。一樣品質的香囊，侯老爺的便宜三分之一，自然把客人全部搶走，一年後，洪嘯天的香料作坊，如侯老爺所願的倒閉了。

洪嘯天一無所有，成了流落街頭的乞丐。他沿路行乞長安街頭，冷得指頭都沒知覺了。一句句的「大爺行行好。」越來越微弱，模糊中，七彩的夢幻點點浮現，天上降下的仙女娉婷婀娜的灑著花，以難以言喻的圓弧曲線跳起水袖舞。

「你是嘯天嗎？」

天女搖著洪嘯天的肩膀，她的容顏變成了沈雲鬟的臉。

「嘯天，天這麼冷，你穿這麼少怎麼行？」剛才一切都是幻象，原來眼前的人是沈雲鬟，不是天女。

洪嘯天卻從滿是垢膩的口袋掏出一張泛黃的紙。「雲鬟，這是峨嵋山道士給的治嗓子藥方。妳去抓藥吧！我期待妳的歌聲。」

沈雲鬟哭了，洪嘯天是怎樣的一個好人啊！已經淪爲乞丐，還記掛著自己的病。她深深後悔著，怎麼可以傷害這麼好的人呢？「走，跟我回家，我給你換乾淨衣服，你現在應該吃一頓補的。我會用我的一生來補償你。」

洪嘯天不再當乞丐了，沈雲鬢從侯老爺那得來的兩千兩，夠他倆過很好的生活。半年後，他們搬到江南揚州。洪嘯天重新開始了『香囊』致富的傳奇。

而峨嵋道士的那帖治嗓子祕方竟眞的有效，沈雲鬢的美妙歌喉因此再度重現。她唱歌，已不再是爲討好尋歡客，生張熟魏的委屈自己。她只爲唯一的心上人唱歌。爲恩，爲情，爲感動，那歌聲，懂情的人都會動容。

紅顏易老懼孤衿
傷情望風林
浮世夢幻
誰為我伴
百眾千度尋
恩愛不緣聲色立
護花春泥心
死生一付
君心似我
鴛盟相憶深

不要說我龜毛

愛情，通常起源於一份『堅持』……而不是『龜毛』喔！

文◎狂心舞情

「阿香妳要不要喝飲料？」才剛接起電話，阿婷馬上就劈頭一問。

「我只喝紅蜻蜓的紅茶哦！要大杯的，要保麗龍的杯子，叫老闆冰塊不要放太多。」

「哇靠！阿香妳很龜毛耶！」阿婷受不了地大叫。

我聳肩不以為意，「那個鹽酥雞啊！叫他不要放辣，妳一定要去車站對面那間買哦！那間比較好吃，還有……」

「還有！妳去撞牆啦！吃個東西幹嘛要求那麼多，龜毛耶妳！」

「不要叫我龜毛啦！這個叫做堅持！不是龜毛！」

喀！阿婷掛了我的電話。

我叫林筱香，很俗氣的名字，可是我喜歡大家叫我阿香阿香，討厭人家叫我小香小香。

因為小香小香這樣叫起來好像是小朋友。討厭！

我喜歡看小說和漫畫，平常在家會打逼逼聊天，不喜歡喝奶茶，討厭說我龜毛的人。

我吃的東西絕不加辣，除了麥當勞的薯條外剩下我都不吃，冰淇淋我只選杜老爺，脆笛酥只吃小瓜呆。手機品牌只用諾基亞，只用0.3

的原子筆，面紙一定用春風，戒指一定戴無名指……

我說了，這不叫龜毛，這是我的堅持。

我喜歡星期三的下午沒課後，就來街角的『幸福』咖啡館坐坐。因爲那裡有我想看的一個人，一個喝熱菊普茶的男生。

「阿香！」正當我喝入第一口熱咖啡時，冷不防肩上就感受到手掌的重擊。

「幹嘛？」正眼瞧了來人，我沒好氣問。

「跟妳借早上的會計筆記。」阿婷向我伸出手。

我拿給她之後，阿婷又斜眼看著我，「喂！他坐在那邊耶！」

「誰？誰呀？」我故意搖頭晃腦，「妳是說外面那個賣彩券的老伯伯哦！他本來就坐在那邊啦！妳猜這星期樂透會開幾號啊？」

「妳很無聊耶！」阿婷硬是把我的頭扳回來面對她，「小姐，彩券和樂透是不一樣的東西。」

「我知道啊！只是隨口問問而已。」

「妳眞的很欠扁耶！」阿婷彈了一下我的額頭，「妳每次來咖啡店都只是爲了看他來喝一杯四十塊的咖啡，這樣値得哦？」

「我覺得不錯呀！」我看著快要見底的咖啡杯，「拿鐵很好喝。」

「妳喜不喜歡他啊？」

我偏著頭思考一下，「應該是喜歡吧！」

「妳去跟他要電話啦！」阿婷推推我的手。

「才不要！」我立刻回答。

「妳很龜毛耶！喜歡他又不去跟他接觸，龜毛死了。」

「這哪是龜毛啊！」我嘟著嘴，「為什麼喜歡一個人一定要去跟他接觸，我就喜歡這樣觀察他嘛！」

「不然我去幫妳跟他要電話。」

「我不要！」我很堅決，不要不要不要啦！

「啊不然妳是想怎麼樣啦？龜毛女！」阿婷無可奈何擺擺手。

「我不是龜毛女啦！」我霍然站起身，眼睛睜得大大地吼叫，「不要說我龜毛啦！這個叫做堅持！」

忽然一陣冷風向我吹來，我猛然驚覺自己剛剛說話聲音過大，連櫃台的服務生也掩著嘴偷笑。包括坐在雜誌架旁邊的他。

只見他傻愣愣地看著我們這一桌，嘴巴邊還黏了一片昏黃色的菊花瓣……

雖然我很想笑，可是現在的我只想跟小叮噹借任意門消失在地球上，就算是去了火星也無所

謂。

現實裡當然沒有小叮噹，所以我只能落荒而逃。

啊啊啊啊！我怎麼會那麼白癡啊！我衝進房間抱著頭大叫，天啊天啊！以後我還有什麼臉去那間咖啡店啦！

我沮喪地坐在地毯上，眞丟臉！萬一給他留了不好的印象……唉唷！我剛剛那麼喊，他會不會以爲我很恰？該不會他覺得我很沒氣質、又很龜毛……啊！我並不是龜毛啊！

帶著緊張的心情踏進『幸福』，幸好今天的服務生不是上星期那個，不過那個喝著熱菊普的男生沒有來……我有點失望喝著我的拿鐵，直到晚上七點他還是沒出現，我推開玻璃門，在服務生的謝謝光臨下離開『幸福』。

大街上人聲吵雜，可是我心裡卻異常安靜，走到紅蜻蜓前買大杯紅茶，希望藉著紅茶的香味消除拿鐵的思念。

「好久沒看到妳啦！都只看到妳那個朋友，又是紅茶對吧？」老闆娘慈祥地打招呼。

我含笑點頭，「妳怎麼知道她是我朋友啊？」

「唉唷！很好猜啊！她每次一來都一定買一杯紅茶，要少冰又要用保麗龍裝。這種龜毛的程度只有妳會要求啊！」老闆娘奮力搖了搖銀杯。

我已經懶得爲自己辯解了，龜毛就龜毛吧！

本想到車站對面買鹽酥雞，順道去看看上次阿婷提過的，那老闆傳說中的帥兒子，不過還要過紅綠燈好麻煩，所以就在車站旁的7-11買了兩個叉燒包便滾回家去打逼了。

我把匿稱換成了：我很龜毛（？），馬上就有很多網友和好友丟水球問我說：喂！妳是不是處女座的啊？哈哈哈！妳終於承認妳龜毛啦！

最倒楣就是連班版也討論起我到底是龜毛還是堅持，甚至還有同學要求版主舉辦投票，最慘班版的版主就是我林筱香本人。

一直到下個星期三、下下個星期三、再下下下個星期三，我都沒有遇到那個喝熱菊普的男生。上天啊，如果能再見他一面，就算我被人家說一輩子的龜毛我也願意啊！

被系學會的學長拉去做年末歌唱比賽的美工和場地佈置，理由是因爲我要求完美……事實上是因爲之前班版的那篇討論我是否龜毛的文章衝上了站上十大，這下子要我不紅也難。總而言之，我犧牲了兩個星期的時間來籌畫場地，還特別去學BBS上的美工ASCII，做了美美又漂亮的動畫和看版廣告。

最後換得學長一句：「學妹，妳眞負責任，眞像處女座的。」

……我不是處女座的。

「為什麼？」

「妳還特別去學BBS的美工製作啊！看來妳不止是龜毛而且還很負責任，妳要不要考慮加入系學會啊？」

「學姊，我幫妳買了紅蜻蜓的紅茶哦！」學妹雙手都拿著飲料小跑步過來。

「妳怎麼知道我要喝紅蜻蜓的啊？」我詫異地看著她。

「婷婷學姊說的呀！」學妹把紅茶交到我手上，「其實學姊也不龜毛啦！我也覺得紅蜻蜓的紅茶很好喝，只是老闆娘總放太多冰塊。」

我感動看著學妹，終於有人說我不龜毛了！

我坐在台邊的階梯啜飲著紅茶。活動已經開始有半小時左右，我一杯紅茶也見底，當我從台階旁伸了懶腰站起身來面對舞台上時，我看見了他。

置之死地而後生，這句話應該是在形容我的單戀吧！

就在我快要放棄之時，我又看見他了。

「啊！」我小聲驚呼，手中喝完的空杯子失手掉到地上。

台上的他拿著麥克風正唱到：紅豆、大紅豆、芋頭，剉剉剉剉，你要加什麼料……

當他眼神往我這方向掃來，我慌了手腳。趕緊跳下舞台準備躲起來。

「喂！妳好呀！很高興認識妳，龜毛女！」

「我不是龜毛女！不要說我龜毛啦！」我惡狠狠往台上一瞪，憤恨大吼叫著。

鏘冰進行曲還在鏘鏘鏘，現場只聽見鏘鏘鏘完之後就是哄堂大笑的聲音。

我背脊一冷，覺得大事不妙。

「對不起，不是龜毛女。是堅持女，對不起、對不起。」

我跟上天祈求的願望實現了，可是難道我眞的要一輩子都要被叫龜毛女了嗎？

不！我不要！

「你是不是很久沒有來『幸福』了啊？」坐在『幸福』裡面，我看著他問。

「我每個星期都來啊！」他莫名其妙看著我，「忘了自我介紹，我叫潘敬鈞，電機系的。」

「哦，我是……」

「妳不用介紹啦！」他大笑說：「妳叫林筱香，喜歡大家叫妳阿香阿香。」

「你怎麼知道？」我張目咋舌。

「妳很紅啊！」他喝了一口熱菊普，「有名的龜毛女。」

「喂！」我不滿地癟嘴。「你只能說我堅持，根本沒有什麼龜毛！」

「妳很龜毛哦！還不都一樣……啊！說錯了。」他趕緊用手蓋住嘴巴。

「算了，你說你每星期都來，可是我之前的星期三都沒看到你啊？」

「因爲我現在星期三都要幫家裡做生意，所以星期三都不能來。我都星期五來啦！」他大眼打轉著。

「哦！」我挑眉。

「妳該不會只有星期三來吧？哇，原來妳已經注意我那麼久啦？不好意思耶！」

「啊！」我說錯了什麼嗎？我只好笑而不答，事實上是我……討厭啦！就是害羞嘛！

終於在每個星期五我都見得到他，雖然下午我都有課，不過四點一下課我就往這裡衝；而他也總會先點上一壺熱菊普茶，等我進來時服務生會送上一杯拿鐵到他桌上。於是我們會開始東聊西扯，分享生活點滴和八卦。

這麼幸福的日子總讓我以爲我和他在交往了，我和他在戀愛了，可是我和他也只是普通朋友的關係而已。

「喜歡他就跟他告白嘛！」這天深夜阿婷帶著鹽酥雞來找我。

「不要！」我咬著鹽酥雞，「我喜歡這樣跟他聊天。」

「少來，妳難道不怕他被別的女生先登記去了？唉……算了算了，妳慢慢龜毛吧！總有一天妳的龜毛會害死妳的。」阿婷轉開電視，留我嘟著嘴思考這問題。

「堅持女，我問妳哦！」

學期末最後一個星期五的六點，在我們已經安靜許久之後他開口講話。第一次和他星期五共桌以來，他這麼安靜。

我以爲他在捨不得。

「問啊！鉎冰男。」

「妳覺得老少配怎樣啊？」

老少配？

我頓時出現一堆問號，「過得幸福就好了吧！那又不干我的事。」

「是哦！我喜歡上一個學姊哦！妳會不會支持我啊？」鉎冰男認眞地看著我。

「你喜歡上學姊！」我不由地提高音量，「學姊？」

「喂喂喂！妳說得太大聲了啦！」

「你怎麼可以喜歡上學姊！你不知道我在喜歡你嗎？」我情急之下脫口而出。

「妳……妳喜歡我？」鉎冰男不知所措地問。

「不要你管啦！算了，你去喜歡你的學姊，我再也不要理你了，你居然害我失戀！」我一口氣喝盡拿鐵，頭也不回往『幸福』門外衝。我討厭他啦！

我居然失戀了。阿婷說得沒錯，我一定被我這龜毛的個性害死的。早知道就早點跟他表白，那麼他和我在一起的機會就可以大一點點、多一點點……

關掉手機，星期六的早上我回到台中的家，心情悶得沒有過年的喜悅。老爸還說我像回來奔喪的！

總之就這樣悶頭過了一個寒假。開學前回到租屋整理一下，順便收拾失戀的心情，告訴自己天底下好男生還有很多！我決定我不要再龜毛下去，這次要善變一點。

阿婷知道我回來了，帶了一大包的鹽酥雞和一打海尼根來找我，我瞪著那一打啤酒氣得要她退回去。

「爲什麼？」她吃著她的鹽酥雞，「奇怪！才過了一個寒假鹽酥雞就變難吃了。」

「因爲我不要喝海尼根啦！我要喝台灣啤酒！」我氣呼呼咬著鹽酥雞，「好怪的味道。」

「妳又開始龜毛了。」阿婷掏出發票，「要換妳自己去換，海尼根和台灣啤酒還不都一樣，龜毛女。」

「不要叫我龜毛女……」我的眼睛盈滿淚水。「不然我哭給妳看。」

提了一打台灣啤酒，爲了證明自己不再龜毛，我決定以後不只有吃鹽酥雞，我還要吃其他的東西。

於是我走到車站對面的那間鹽酥雞店開始挑選。

「老闆，我要一份台北甜不辣。」我掏出零錢放在台上。

「好，馬上來。」老闆轉過頭準備夾食物上秤子。

「怎麼是你！」我嚇得差一點昏倒，「你你你……」

「我怎樣？」他穿著黃色的圍裙問。

「我不要買了。」我馬上轉身就跑。

「爸，我有事先出去，你出來顧一下店啦！」他朝店裡大喊，跟在我身後跑，「學姊、學姊妳不要跑了啦！」

「你不要追我啦！」我緊張大叫。

等等，他剛叫我什麼？

我停下腳步，他……他是我學弟？不會吧！我居然喜歡上學弟？天啊！天啊！

最蠢的就是我竟不知道他是學弟。

「學姊，我喜歡妳。」

他剛剛說什麼？

「我之前說的那個學姊就是妳。」他說，「知道妳喜歡我，我嚇了一跳。還沒來得及對妳反應，妳就已經跑掉了……妳會不會接受我？雖然我比妳小一歲？」他牽起我的手，問我。

「我、我……」

我皺著眉，學弟……天啊！第一次有人跟我告白，而對方居然是個學弟！

「學姊？」

爲什麼你是學弟啦！

最後，故事應該結束啦！我到底有沒有和學弟在一起呢？目前是沒有啦！不過我以爲應該會在一起的。

爲了處罰他沒跟我說他是我學弟，爲了處罰他讓我以爲我失戀了，爲了處罰他讓我難過了一整個寒假。我決定要再龜毛個幾個星期。

「妳小心他又看上別人。」阿婷吃著免費的鹽酥雞，「不要有免費的鹽酥雞可以吃又不吃，到最後又被妳龜毛的個性害死。」

「不會啦！」我說。

至少我是這樣認爲。

「堅持學姊，如果妳再不答應和我在一起，我就……」

「鋌冰學弟，你想怎樣？」

星期五的下午，我們坐在『幸福』裡頭，他依舊點熱菊普茶，我還是喝著我的拿鐵。

「我就要去追學妹，然後妳再也沒有免費的鹽酥雞可以吃。」他似乎狠下心。

「好吧好吧！看在有免費鹽酥雞的份上我就答應你好了。」我攤攤手。

我是眞的看在鹽酥雞的份上唷！

憂傷的愛情棋子

她害怕她的愛情會消失。
我雖然明知和他的婚外情結局一定是分開，卻還是繼續在等待。
我和她都一樣，寧願失眠，也不要永遠的遺忘。
不要女人再為愛情繼續愚蠢的路，仍然遙遠。

文◎朵拉

手機響起來時，我從沒那麼高興過。

原來除了通訊，手機也可以令人自不中聽的言語中逃脫出來。

「對不起。」我對著桌前的媽媽、姑媽、姨媽點頭，站起來走出門去。

我要去感謝何少薇。

她約我在紅葉餐廳見面，只因她喜歡那兒的素食點心。她是一個沒有變化的人，連對待飲食也如此，所以我時常嘲笑她，餐廳一定給了她什麼好處。

可是癡心的何少薇卻說：「我喜歡他們的簡單。」還說，「妳知道『素』是什麼意思嗎？在《禮記・檀弓篇》裡，素的意思是『凡物無所飾曰素』。」

我搖頭，「太深奧了。」

「所有沒有裝飾的東西都是『素』。」何少薇只好用白話重複。「所以，素食不講究花巧，也不多加其他多餘的東西。」

「不好吃。」我指著淡而無味的菜。

何少薇說：「無味才是眞味。」

「算了。」我只有豎白旗投降。

其實她是後來才吃素的，從前和我還曾爲了醉蝦和乞丐雞，開了幾個小時的車去嚐鮮呢！

推開餐廳的門，何少薇已經坐在裡邊。

我走向她，還沒坐下就問：「妳今天怎麼啦？」

多年的老朋友了，她的神情和平時不太一樣，臉上漾著淡淡的哀傷。

「沒有。」她不說，我當然不追問。

「喝什麼？」她問我。

「隨便吧。」我回答。感謝她救我，不苛求。

她連多想一下都沒有，對前來的侍者指著她的杯說：「同樣的。」

「怎麼那麼閒？」她問。

「不。」我回答：「正忙著。有個男人要到家裡來相親。」我苦笑：「是姑丈的妹妹的兒子，從美國回來，博士哪！」

「難怪妳逃之夭夭的喪家犬樣！」她笑出聲。

「有嗎？」我鎮定的臉部表情更惹她笑。

手機又響起來。

「啊，是，我和少薇在喝茶，今天晚上，你可以？你忘記今天是星期日嗎？」非常意外的電話。但令我驚喜：「好，今晚見。」

「志強吧。」何少薇不是猜測，而是肯定。

我點頭。

「已經五年了，還捨不得分手？」她啜一口茶，大約知道自己的建議不會被接受，所以語氣和聲音都是軟弱無力的。

「時間眞快。」我苦笑：「不過一眨眼，也五年過去。」

「根據調查報告，一般外遇或婚外情，最長只能維持三年。」她說。

「沒有辦法。」我還是苦笑。「妳也知道的，曾經分手過了。」

「那妳只好繼續受苦。」她聳聳肩，事不關己地。

「不讓人痛苦的，就不是眞愛情。」我背書似地。

「演講還是朗誦？」她嘲笑我。「誰相信？外遇還有眞愛情。別欺瞞自己呀！」

像拙劣的籃球員接不到球，我也接不下這個話題，轉而問她：「喂，叫我出來做什麼，演戲呀？」

她問我：「記得方文德嗎？」

有哪個女人會忘記一個沒有缺點的男人？這個曾經是她情人的方文德，在她心裡，是十全十美的男人。

「他回來了。」她說這話時，表情也沒有激動，總是淡淡的。

方文德離開後，她才開始吃素。

我已經明白她找我出來，是爲了要借一雙耳朵。

「昨天接到他的電話，約我今天見面。」她轉頭看窗外：「而且就是現在。」

我傻傻地：「那妳還叫我來做什麼？」

「不。」她還是望著窗外，彷彿在等待方文德的出現。「清韻茶坊。」

「那裡？」我愣了一愣。

「清韻。」何少薇告訴我：「那時，我們常約在那兒見面。」

「可是，」我沒說完。

何少薇接下去：「他不知道，清韻茶坊早就關了。」

「而且關了很久了。」我說。

「看，兩年妳說很久，五年妳說眨眼。」看來何少薇不是嘲笑我，她是在同情我。

我嘆息。是的，時間的快慢，要視情況而定。連科學家解釋相對論都說：「和情人在一起，24

小時尚嫌不夠，和仇人見面，一分鐘都覺得太久。」

我問她：「既然約現在，爲什麼妳還在這裡？」

「我不想再見。」她輕輕地。「又怕自己約會的時間越靠近，越不能堅定，所以叫妳來，幫忙我堅持下去。」

我清楚她心裡的沉重。這些年來，她一直安於單身，只爲一個人。

「但是，妳想念他。」

「是。」她微笑：「就是擔心他會消失在我的想念裡，所以不見。」

過一會兒，我才說：「我不知道。」我的愛情是非見面不足以解相思。她的愛情是不見面才能夠留下那份想念。

「一切都在變化中。」她嘆息。「人事物，沒有不變的。清韻也都關掉了。」

「他已經不是他……我也已經不是我。」她輕喟：「我眞害怕我的愛情會消失。」

我看見她的眼圈是紅的。

「我只是不想要讓彼此都失望。」何少薇的笑臉依然苦澀：「讓他去等待吧，等待至少充滿希望。」

「今天見不到妳，」我提醒她：「明天，後天，他還可以再約的。」

何少薇搖頭：「再過三個小時，他就要飛回加拿大了。」

說到最後，我和她都一樣，寧願失眠，也不要永遠的遺忘。

不要女人再為愛情而繼續愚蠢的路，仍然遙遠。

女權主義，老是失敗，一切都是因為女人自己不爭氣。

然後她舉起她的杯，喚我：「來，為愛情乾杯。」

我沉默地把茶喝了。晚上志強約我，心裡的愉悅無止無盡，一直牽引到天涯海角，雖然明知結局一定是分開。

「乾杯。」我對何少薇、對自己，也對我們的愛情說。

網路笑話

禮物

某公司舉辦年終聚餐晚會，許多主管都提供摸彩品，獎品很多，許多人都摸到禮物非常高興。

總經理走來問他的女祕書有沒有得獎，女祕書很失望地說：「還沒有啦！」

幾分鐘後女祕書很幸運地摸到總經理提供的特獎，她很興奮地跑到總經理身邊，撒嬌地對老闆說：「總經理！我有了，是你的。」

花巷草弄＜２＞號

愛生長在手溫裡，玫瑰睡了，夢還笑著；
花巷草弄的冬天，愛情不懈……

文◎狂心舞情

朋友曾經好奇的的問我，爲何只喝那牌子的花茶。

這花茶是一個祕密。我帶著淺笑回答著，卻也不經意地逸出一聲嘆息。

是一種虧欠的遺憾。

啜著花茶，冰涼的液體在口中逐漸退去悶熱。

我忽然有了想見你的念頭，好不容易在人數過多的情況下連上KKcity，我還是想念著你的溫柔；就算你不在線上也好，或者只能回味你字裡行間的情意也罷。

你不在線上，我跳入信件的選單，看著你以前寫給我的每一封信。愛情走後，我只剩下這些回憶，還有那張我們一起出遊的大頭貼。

當信跳到第十封，那是我們第二次的約會，在台北。

你說，你會對我們之間堅持下去。

你說，當我靠著你的時候，你覺得好幸福。

眼淚卻平靜地掉落在手背上，溫熱的濕潤著那一年的情景；彷彿愛情從來不曾遠離。

很習慣睡前和你聊一下天，有時候興趣一來就會拚命講個沒完沒了，於是我知道，那個月的電話費又要爆掉了。

再次見到這品牌的玫瑰花茶，卻讓我的心懸在淡水的街頭不捨離去。

那次，我們在淡水的捷運站等網友，約好了要去沙崙海水浴場戲水，等到累了、渴了，你拉著我走向車站裡人潮擁擠的便利商店。

原本小小的店面就無法容納太多人，再加上花巷草弄那時剛出品試喝的促銷活動，把整個店擠得水洩不通。

我和你拿著試喝用的小杯子品嚐，正要走出店面時，你就隨手拿了一瓶花巷草弄的玫瑰花茶。

最後，我們拋棄了朋友，兩個人躲到淡水老街去享受假日午后的陽光。

你手裡拎著一瓶飲料，我直呼好熱，你遞了喝過幾口的飲料過來，我呆愣看著你。

「一起喝吧！」

「……」我是個容易臉紅的女生。

「很熱吧？台北和台南的天氣不太一樣，可是到晚上就會比較冷一點了，妳的衣服有帶夠嗎？」

我點點頭，吸了一口玫瑰花茶，濃郁的花香撲鼻而來，入口的涼意讓我對你綻放一抹微笑。

「妳眞像玫瑰。」你低下頭，偷吻了我的臉頰。

「哇！」我驚呼，好丟人耶！竟然在街上偷親我……

「傻瓜。」

你牽著我的手，選了一家有冷氣的小吃店填飽肚子。

「妳太瘦了，給我多吃一點。」你幫我點了一堆淡水有名的小吃，我直捏著你的手阻止你再點，撒嬌要你餵我。

你眞的一口又一口餵我，在那麼多人的面前。我想我一定紅著臉，雖然是這樣，可是我還是覺得很開心。

被擱在桌上的玫瑰花茶，淡淡地散發香氣。我以爲，這是愛情的香味。

後來，怎麼了呢？

我似乎也記不得了，相處久了，摩擦也就多起來。那時的我，是個很任性又不懂得包容別人的小女孩。

吵完架後，又開始甜甜蜜蜜，時間就慢慢這樣走過。

工作上的忙碌，讓他沒有多餘的時間來跟我道晚安，說心事。我開始很珍惜能和他相處的每一刻。

最後一次見面，我們還是很甜蜜，那是冬天。

一起走遍成大的校區，一起逛過北門路，一起去挑選糖果……然後去拍了一組大頭貼。

沒想到，這是我們最後一次的見面。

分手很平靜，原因也很簡單；當初相信得一場胡塗的永遠，也只是短暫的幸福雲煙。

在他面前我無法僞裝自己的情緒，眼淚也無法自己。

終於，看完了他寫給我的四十七封信。

這是愛情走後，他所留給我的一些遺物，除了回憶以外的東西。

放在電腦邊的花巷草弄，玫瑰花茶依舊還是玫瑰花茶；而屬於我和他的愛情，卻已不復見了。

瓶身上的字跡，款款落筆。

愛生長在手溫裡　玫瑰睡了　夢還笑著

花巷草弄的冬天　愛情不懈

不，在我心中，愛情從不遠離。

因爲我的內心裡，還是那個甜蜜冬天，就算玫瑰花已經睡了，就算我和他的愛情故事已經有了句點，這份回憶還是會一直一直在我心裡。

雖然我和他的愛情無法永遠，至少回憶可以。

回憶中的愛情，不懈。

火宅

十多年前的那場火，成為心底深處揮之不去的夢魘，心愛的人淒厲的呼救，纏繞著他不放。一段時間過去後的現在，他又再次夢見她，可怕場景再現的原因會是……

文◎夜月・圖◎瘦子貝

那晚，我冒著晚歸被罵的危險，到小凡的住處纏綿……

我進入了小凡的身體，環抱住她的背，另一手撐住她修長的腿，這個小女生，是我十八年來唯一深愛的人，從十五歲第一眼見到她的那天開始。

睡著的小凡像個天使，美好的外表下，她還有一顆純眞善良的心；她靜靜地沉睡在我的胸前，單純地不帶一絲凡塵。

我爲她拉上薄被，仔細地再看了她一眼。「我愛妳。」我心裡輕聲地說。

沖好了澡，我簡單地整理一下書包，確定沒有遺忘什麼私人物品後，點燃一支香菸，走出小凡的小套房。樓梯間的風大，老舊的公寓靜悄悄的只聽見我平靜的心跳。我順手將抽剩的半支菸一彈，心裡盤算十二點以前應該可以回到家。

再過幾天就是小凡滿十八歲的生日，我想送她一個禮物……突然發現一直放在褲子後面的皮夾不翼而飛，腦中靈光一閃，啊，一定是遺留在小凡那裡，剛剛太忘情所以動作大了些，這下子糗了！哈，等會兒回去小凡家，可就不一定還能堅持離開她那溫暖的被窩呢！

我笑了笑，轉身往小凡家走去，用口袋剩餘的零錢順路在便利商店買了一條巧克力。就在距離小凡那棟五層的舊公寓幾分鐘的路程時，我拿起手機開始撥小凡的電話。

我默默數著電話響了幾聲才通。「喂？小凡，妳還在睡嗎？怎麼不說話？快起來幫我找錢包，我忘了拿……」

驀然，我聽見了奇怪的聲音，於是住了口。那是一種從喉嚨硬擠出來的嗚嗚聲，還有一些猜不出是怎麼回事的噪音。

「救命……」

小凡的聲音充滿了驚恐、破破爛爛的。

接著，又聽到小凡撕裂般的尖叫。我覺得全身血液凝結住，抖地打了一個冷顫。

之後小凡沒有再說話，我聽到了手機跌落的聲音。

當我奔跑至舊公寓樓下時，心跳幾乎快要停止！火焰正從四樓電梯方向張牙舞爪地竄出，而小凡的套房在四樓F座，就在已經冒出火苗地點的再後面幾間而已呀！

我仍舊對著手機呼喚小凡，四週圍觀的人越來越多，救火車還沒來。有人大喊巷子太狹窄，車子根本開不進來！現場亂成一片，到處都是人，我一抬頭，心驚膽戰地看見整個四樓都陷入火海，火焰正快速地向五樓吞噬！

這時我忽然想起，距離小凡陽臺數公尺的對面，正好是另一棟公寓的頂樓，於是我拔腿飛奔穿過防火巷，瘋狂地祈禱小凡能脫逃出這個人間煉獄，但是公寓的這一邊四樓，也不斷冒出熊熊濃煙。

不！我全身緊繃地往另一棟公寓樓上衝去，等我到達頂樓時，心膽俱裂地看見小凡驚恐的模樣，她全身包著溼漉漉的被子，臉上摀著溼毛巾，但房門空隙正湧進又急又嗆的濃煙。

「小凡！」我用盡全力大喊。

聽見我喊叫的小凡，從地上爬到陽臺上，她抓著鐵窗，卻被煙嗆得咳了起來。「阿治，救我！」小凡被煙燻得張不開眼，她瘋狂地尖叫著。

我慌張地看向四周，卻發現沒有任何工具可以使用。距離小凡的陽臺有一段距離，我甚至連她的手都構不到！

「阿治，救我，我不要死！」小凡哭叫著。

我急出一身汗，這一棟的住戶開始向著火的公寓潑水，我搶來一桶水往小凡潑去，看見小凡的屋裡全是濃煙，整個房間燒了起來。

我看得見小凡抓住鐵窗那雙白色的手，但是她卻對我的呼喚再也沒有反應，一動也不動地伏在陽臺上。

我失去理智地大叫，然後從身處公寓的邊緣往小凡的陽臺跳去，四周的尖叫聲在身後響起，我抓住了鐵窗，小凡那無名指上、我送她的戒指是我最後看到的東西，接著我從四樓的陽臺跌落，失去了意識。

再次醒來，我無法遏止地摀住面痛哭，因爲我知道，我沒有救起小凡，而且這場火都是因我而起！說不定是那時隨手一彈的菸蒂，引起這場不幸的火災，始料未及的是，小凡竟是被我害死的。

我從四樓的陽臺摔下，落在二樓的陽臺，兩腿開放性骨折。我沒有勇氣告訴別人起火的原因，甚至無法開口說話。由於火災發生時才晚間十一點多，所以公寓裡的人都順利脫逃，除了小凡。

初步研判起火點是四樓電梯口，由於堆放了許多廢棄易燃物，所以火勢一發不可收拾，警方朝人爲縱火方向調查。

坐在床沿垂淚的母親撥開我的頭髮。「別再想了，你在發燒，別去想那些可怕的事；」母親哭了起來。「你根本沒有辦法救她的，不要自責，忘了這個惡夢吧！」

接下來一段時間，我沒有辦法開口。醫生告訴母親，我是受到太大的刺激，需要心理治療。

每個夜晚，我都夢到小凡，她睜著眼睛望著我，身後的火焰瞬間呑沒她的身體，只剩下她淒厲的呼號。「阿治救我！」

剛開始的半年，我都會被這個夢嚇醒，然後渾身顫抖地縮在床上，冷汗涔涔。後來，被夢驚醒後，我會絕望地痛哭！

即使沒有人知道那場火災肇事者是誰，我仍躲不過心裡的自裁，於是在某一天深夜，我選擇了自殺。我用病床畔的水果刀，割開左手的手腕。

但是我沒有尋死成功，事後母親傷心欲絕的哭泣，綑綁住我尋死的決心。她只有我這一個兒子，父親離開後，她就用全部的心來愛我；我出事後，她跑遍了大大小小的寺廟，希望我有一天能回復正常。

就這樣，我抱著無盡地懺悔和不曾間斷地惡夢，度過了二十個春夏秋冬，人生眞的好漫長，我只祈求能趕快過完這一輩子，到下輩子去彌補對小凡的錯和虧欠。

而曉月，默默地等了我十八年。從她十五歲開始。

「我身上背負的罪，沒有得到赦免之前，沒有辦法帶給任何人幸福，」我望著她說，「我早就失去了愛人的能力。」

小凡忌日那天，我隻身前去看她。

「二十年了，凡，」我撫著墳前的照片。「對不起。」

「阿治！」曉月不知什麼時候出現在身後，「我是來看小凡姊的。」

我站起身，往小凡的墳旁移去。

「小凡姊，我是曉月，我真的好愛好愛阿治，請妳讓我陪著阿治好嗎？事情已經過去了二十年，妳原諒他吧！不要再出現在阿治的夢裡，不要再懲罰阿治了好嗎？我願意和他一起承擔這一切，可不可以？」曉月合著手，表情堅毅地說著。

「曉月，這是我的罪，我害死了小凡，就算一輩子的懲罰，也不足以償還我的虧欠。」

「爲什麼說你害死小凡？你拚了性命去救她呀！」曉月抓住我問道。

「不，是我，那場火災是我引起的！是我害死了小凡……」直到此刻，我才終於向曉月坦白許久未被人提起的一切過往。

說完之後，望著她的蒼白的臉，我痛苦地閉上了雙眼。「現在妳終於明白了吧。就算小凡能原諒我，我也無法再給妳什麼……」

曉月望著我半晌。「我會等你，一直等你，阿治。」

她轉身而去時，我瞥見從她眼裡流洩而出的悲傷和淚水。

就在我看完小凡的這個夜晚，我又夢見了小凡，這次卻沒有那惡夢般的火焰。眼前的小凡和二十年來出現在夢中的她一樣，不過，這次她穿著她的制服，臉上掛著我熟悉的笑，她走過來抱住我。一股痛徹心肺的難過淹沒了我，我一句話都說不出口，只能緊緊抱著小凡嚎啕大哭。「對不起，小凡，原諒我、原諒我……」

「阿治，」小凡輕輕柔柔地蹲在我旁邊，看著我說：「世界上也許有無法彌補的錯，但是沒有無法愛人的人，夠了，不要再折磨自己了。」

我的眼前一片朦朧。「小凡，妳說什麼？」

「我愛你，阿治，我希望你快樂和幸福。」

忽然眼前一黑，我跳了起來，「小凡！」

隔天，曉月出現在我家，她兩眼紅腫，像是哭了好久似的，「阿治，我昨晚夢到小凡姊……」

曉月擦了擦眼睛。「她說，世界上也許有無法彌補的錯，但是並沒有無法愛人的人！阿治，別把我排拒在你的心之外，請接受我對你的好吧！」

我走近曉月，她哭著抱住我。

一年之後，我和曉月結了婚。

「啊！」我大叫，冒出一身的冷汗。

今夜夢裡的場景，又回到了那座火窟，以及小凡在火海裡淒厲地慘叫。

爲什麼？小凡？爲什麼在相隔三年多之後，妳又出現在我夢中了？

我轉頭看著曉月，她正打了一個冷顫，我趕緊爲她拉緊棉被。「小凡，妳要出現在我夢裡，我不會逃避，但請求妳，千萬別嚇著曉月，她沒有錯。」

就在這時，我聞到了一股奇怪的味道，越來越濃；我衝出家門，發現樓梯間正冒著煙！

「曉月，快醒醒，失火了！」我摟住曉月，一把將她從床上拉起。

曉月清醒後立即朝嬰兒室跑去，抱著一歲的兒子無助地望著我。

我聽到走道上防火鈴響起的聲音，接過兒子、抓住曉月就往救生梯方向跑去。

那一夜，我們全家脫困，整棟大樓無人傷亡。之後的好幾十年，我再也、再也不曾夢見小凡了。

網路笑話

腐敗原因

課堂上，老師問小容：「你認為是什麼讓食物腐敗呢？」

小容苦思半天不敢回答……

老師說：「來，說說看，別怕，答錯沒關係。」

「滿……」小容吞吞吐吐的說：「滿・清・政・府……」

琴弦裡的懸疑

一把荒郊野外拾獲的吉他，創造出暢銷百萬的流行金曲，而未完的樂曲卻還在人間游蕩……

文◎李非易

好不容易挪出一塊空間，便迫不及待拿起阿泰剛送過來的資料袋，抽出一張唱片封面底圖，專注地審視著。

圖中這個眉清目秀的年輕小伙子，是甫加入我們唱片公司的新星，由於外型出色，歌聲自成一格，渾身上下更散發出一股令人無法抗拒的魅力，因此如預期般深得廣大學生聽眾的喜愛。上半年度才推出第一張個人專輯『謎』，銷售量竟一舉突破二十萬大關，並且擠入暢銷排行榜前五名，氣勢更是凌駕許多歌壇前輩。

當然，他的成功，除了本身具備的條件和公司得宜的包裝宣傳外，最大的幕後功臣，首推那位沒沒無名的作曲家，我的好友——聞悉禮。因爲聽眾回函反應最喜愛的歌，幾乎都是他的創作。

說來算是因緣巧合，或說誤打誤撞也可。認識他其實已有一段相當長的時間，而我卻完全不知道他有作曲天份，若要論他的音樂素養，恐怕僅止於彈彈吉他自娛娛人罷了。

想不到約莫一年前，有天他一反平常的死氣沉沉，眉飛色舞地出現在我面前，將幾張曲稿塞入我手中，要我品評一下他新完成的作品。當時我被他這突如其來的舉動嚇了一跳，拍了拍他削瘦的肩膀，笑道：「別開玩笑了，沒事尋我開心是吧！」

他卻認眞地說：「如果你不要，我只好找別家了。」

遲疑片刻，我急忙上前拉住他，奪過他手中那幾張紙，笑著說：「抱歉！你坐在這兒等一會兒。」

拿著曲稿，我迅速地去找編曲小陳。半小時後，從小陳那兒走了出來，腦海中反覆回想著剛才小陳狂喜的神情和誇張的讚嘆：「眞是太完美了，簡直連職業作曲家也望塵莫及啊！」

我對悉禮說：「恭喜你！全部錄取。」

他先是瞪大了眼睛，不住地向我點頭稱謝。我按住他的身子笑著說：「別客氣了，好的作品就應該公諸於世，讓大家分享啊！我才應該謝謝你肯將這麼棒的曲子交由我們公司發表呢！」

「當然囉！誰叫你是我的好朋友。能得到你們的賞識，眞是太好了！」

「至於，要現在談嗎？」我知道他生活不算寬裕，這筆可觀的『意外之財』，想必幫助不少。

「不急不急！我信得過你。改天再說吧！」他似乎另有要事。「不打擾你工作，我先走了！」

送他到門邊時，忽然對他來去匆匆的行徑很感興趣，於是問道：「爲什麼在這麼短的時間內，你竟已修習到這種功力，作出這麼美的曲子呢？」倒不是懷疑他抄襲或不法，只是我眞的非常好奇，畢竟歌曲創作並不簡單。

他的態度卻馬上轉爲冷淡：「我不知道，我也沒有義務告訴你。」

「爲什麼呢？這又不是見不得人的事。」

「不行！不行！」他奮力搖晃著腦袋，激動地別過身，衝出門外。

「悉禮！」我大聲呼喊，卻見他如飛的身影已穿過馬路，在人群中隱沒……

後來，我不曾再向他問及此事。只是我百思不得其解，埋藏在他心底深處不願被人碰觸的謎底究竟是什麼？

謹慎地鎖上抽屜，隨手拿起披在椅背上的外套，空蕩的辦公室瞬間冷清異常。我按掉每一處電燈開關，正準備逃離這陷入死寂的孤城時，桌上的電話卻響了起來。

「阿程嗎？我是悉禮。」話筒彼端傳來急促的呼吸聲，像剛憋完一口長氣，貪婪需索著救命的氧氣。

「好久不見！有什麼事嗎？」

「待會兒你過來一趟好嗎？我有些事想告訴你。」

「好吧！吃過晚飯我馬上趕去。」

餘音猶在耳廓裡迴盪，對方已果決地掛斷。放好電話，暗忖：「這小子，老是這般神祕兮兮的，眞搞不過他。難道又有……新作品了。」想到這種可能，我的精神爲之一振。鎖上辦公室的門，暮色在我背後開展。

到達他的住所時已近晚上十點。他獨自租的小屋依然保持一貫的破舊，我按下門鈴。

「來了！來了！」聞悉禮打開門，領我進入客廳。

我著急地問：「悉禮，到底是什麼要事？」

他點燃一根菸，狠狠地吸了一口，和著煙霧說道：「一年前我帶著曲稿去找你的事，你還有印象嗎？」

我啜了一口茶，點點頭。

「當時你曾逼問我那些曲子的來歷，我非但沒告訴你，還不辭而去，那是因爲我確實有難言的苦衷。」

「不怪你，你本來就有權保留個人的隱私。」

他又吐了一口菸，「今天找你來的目的，就是要告訴你這件事，希望你聽完以後，不要把它當成無稽之談。」

我趕忙點頭，滿口答應：「放心好了，你快說吧！」

他捻熄香菸，吹散餘煙由菸灰缸裊裊上升……

「當兵的時候，我們駐防在一個杳無人煙的未開發山區，四周除了林子以外，便是亂草叢生的土丘，夾雜著荒塚錯落其間。每次我們從營區到外頭鄉鎮去採買購物，或奉命傳信，都得走一段遙長又偏僻的山路，所以我們總是盡量減少外出，尤其入夜後薄霧悄悄掩來，更讓人望而卻步。」他臉上的表情隨著回憶的軌跡變換著，彷彿置身在迷濛的情境中，喉管有剛被呑嚥的不安滑過。

「有一次，連長吩咐我將一份公文送到鄰近營部去。當時大約下午五點鐘左右，在靄靄暮色裡，我獨自一人哼著小曲，循著野徑安全將公文送達。一個多小時以後，當我踏上回程的路途，再度進入那條小路時，伴我而行的是無邊的黑暗、陰沉的下弦月、和四周鬼魅般張牙舞爪的樹影。儘管心裡十分害怕，也只能強自鎮定，但腳步卻不自覺加快了許多。

「緊繃的情緒才略爲舒緩，腳尖卻踢到異物。由於痛感極其輕微，而且質地似乎也不堅實，所以我斷定那應非石塊。在疑神疑鬼的神經傳導下，還一度猜測莫非是流落他處的頭蓋骨。儘管惶悚不安，我還是鼓起勇氣俯身查探……」

「到底是什麼？」我忍不住插話。

「是一把還算完好半新的吉他，只斷了一根弦。也不知道爲什麼，我竟然將它撿了起來，帶進了營區。

「帶回那把吉他以後，我竟對它產生了濃厚的興趣。我開始自學吉他，很用心的學，後來總算略有小成，不過那已是退伍前個把月的事了。有一回康樂晚會，我彈唱了一首流行歌曲，出乎意料地竟獲得如雷的掌聲與喝采。事後我和連上一位弟兄談及表演經過，他笑著說：『老實說，你唱得並不怎麼樣，不過吉他發出的音律卻非常悅耳迷人，好聽得不得了！』當時我也不以為意，只是對自己的彈奏功力能受到肯定，竊喜不已。

「退伍後，我做了某家貿易公司的業務員，那把吉他儼然成為我生活的調劑，也是我閒暇之餘不可或缺的良伴。我把它當作寶貝，也全然忘了它古怪的來歷。除了那條本就斷掉的弦換過以外，其他的我一概保留原貌。沒想到一連串的怪事了。」

他又續道：「有一天早晨，我心血來潮地擦拭著吉他，卻意外發現音箱內側上壁貼著一張冥紙，紙上寫著幾行黑黑的蠅頭小字，由於已褪色，我依稀只辨識出『夜和歌』兩個字。我隨手撕掉，丟進了紙簍，又繼續上起蠟來，全然沒有任何不祥的感覺。

「當天夜裡，我很早便入睡了。由於白天工作疲累，睡得不省人事。直到我被一陣的樂聲吵醒，睜開眼睛看錶，心中抱怨竟有人在午夜十二點還把音樂開這麼大聲。我爬起身想揪出那擾人清夢的傢伙，卻隱約感覺聲音發自屋內，我只得在黑暗中摸索著聲音的來源。」

這時壁上的鐘若無其事的敲了起來，眞巧，十二點。他接著說：「扶著牆壁摸黑進入客廳，聲音的來處是擱在屋角那把吉他。惺忪的睡意一掃而空，我完全清醒，聆聽著它彈奏的優美旋律，並發現曲調每隔數分鐘就重複一次。我大膽拿起吉他，聲音立刻終止；放下它聲音又響起。我趕緊衝進臥室，拿來紙筆將整首曲子由頭至尾記錄下來。說也奇怪，當我譜上最後一道休止符，音樂也瞬間消失。這就是『謎』這首暢銷曲的來歷了。」

「原來如此，簡直太不可思議了。」我將目光移至屋角那把吉他，問道：「是那把嗎？」

「不錯！可惜現在已彈不出聲音了。」他嘆了口氣，表情充滿無限落寞與無奈。

我走到屋角，拿起那把吉他回到客廳，輕撥兩下琴弦，只聽到第一弦發出微弱的聲響。

「那條依舊能出聲的弦是我後來換上的。」他一面說著，一面從我手中接過吉他，「後來幾個夜裡，它又響了幾次，而我也依仿抄錄，都貢獻在那小子的專輯裡頭。以後……」他把頭埋在臂彎裡啜泣，哽咽著深情的不捨，「以後再也沒有了。」淚水不聽使喚的滴落在吉他上……

困擾我一年多的謎解開了。我拍拍他的肩膀，安慰道：「悉禮，別難過了。你能和它有這一段不尋常的際遇，也應該滿足了。既然緣分已盡，就把他當作永遠的摯友，深藏心中吧！」

網路笑話

能耐

一天，三隻老鼠在炫耀自己的能耐。

老鼠甲說：「唉！最近我把老鼠藥當下酒藥吃，真過癮啊……」

老鼠乙不甘示弱：「那算啥？我把捕鼠器當啞鈴在舉都沒在說了。」

老鼠丙搖搖頭，一臉無奈的說：「跟你們說這個真無聊，我要去幹貓了！」

妳一樣可以IN起來 Extraordinary Togetherne

□書系／NC 004

□作者／ Sari Harrar & Julia Vantine

□出版／高富國際文化

□售價／220元

Amazon.com網路書店讀者五顆星評價

妳是不是永遠搞不懂男人在想些什麼
妳是不是不知道與這種生物如何相處
妳是不是想知道如何使第一次更美好
妳是不是想知道懷孕時想做愛怎麼辦
妳是不是不了解如何與他維繫好感情
這本書有妳所有想知道的答案
讓妳永遠可以在跟他一起時處於主動
本書深入地探討溝通的技巧、性及做愛的技巧，對婦科醫學方面有諸多著墨。
不論你是否已婚，或有固定的男友，或者仍在尋覓良緣的路上，本書可以幫助你成功地建立最佳情感及生理的親密關係。這裡的建議很新鮮、坦率、實際，而且令人振奮。它並非只對新婚婦女有用，即使你已結婚多年，仍然可在其中獲益良多。
本書所涵括的其它重要部，尚有：寬恕的重要性；如何增進溝通的技巧、增加親密度，以及公平地為自己應有的權利抗爭；察知你與親密伴侶漸行漸遠的各種徵候；恐婚症的治療法；如何與公婆相處、處理家庭財務，以及掌握在職母親的雙重身分；還有，婦女的約會安全須知。
本書關於性及做愛技巧的部分，探討得尤其深入，甚至對各種禁忌話題，都有一番引人入勝的探究。因此，所有年齡階層的女性，都將受益良多。

食字路口，賺錢賺翻了

□書系／致富館 034

□作者／文字工廠

□出版／高富國際文化

□售價／220元

最周全的內容，狂銷書《開小店賺大錢》系列姊妹作囊括30家台灣最有口碑的飲食加盟業者70%以上成功率　輕鬆變身最富有的美食專家　最低風險　快速累積1000萬！

小本創業，萬無一失
想用最小額的金錢、承受最低的風險，賺取最驚人的利益嗎？
本書累計「10大最佳創業行業」、列出各項創業成本、掌握8大必勝經營祕訣、比較各種集資管道。

文字工廠特地為您挑選風險最小、所需資金最少的小吃業，並為您詳盡報導坊間有關教導烹飪、開店的補習班，並分析有關經營時的利幣得失，讓您清楚明白…到底開小吃賺大錢是如何輕鬆達成的。為了讓想創業的人，能一圓自己當老闆的美夢，「文字工廠」編輯群，延續「開小店，賺大錢1、2」一書的固有風格，以詳盡的內容、精準的分析為您挑選時下最有潛力的三十家小吃店面

「文字工廠」為一採訪、攝影、文案、編輯工作室，乃結合實務、金融、理財、創業、加盟等專業人士，為您規畫、執筆有關投資理財的相關書籍。文字工廠謹將此書獻給每一位用心賺錢的人，希望您能藉此開拓你的人生！

元氣小說．精采2集

這是一個Wonderland，
蒐集各種有情有趣，靈活流麗的小說，
讓您編織夢想，品味生活，充滿趣緻。

好看的故事不一定要一次講完，留白，反而更添餘味；
一時的等待，是為了更美好的未來。

酗小說，一期接一期，夜未央、夢未醒；
酗小說的遊目族，永遠是癮家！

校園的、都會的、奇幻的、愛情的、寫實的……
只要是能感動人的故事，歡迎與我們一起分享，
也經營屬於你自己的小說異想世界。
投稿信箱：rose@sitak.com.tw
投稿請寄：114台北市內湖區新明路174巷15號10樓
主題：不拘。
字數：1～3萬字為佳。

元氣小說《精采2集》

兄妹以上，戀人未滿

下集

文◎麗子．圖◎瘦子貝

前情提要

對歐念偉來說，目睹這個自小就把她視為妹妹、卻對自己有著默默仰慕的蘇允靜蛻變為蝴蝶的過程，確實有一點點異於以往的感動；但他始終覺得她還是一個『妹妹』的地位和身分，這點一直沒有改變。

可是，為了回報『妹妹』對自己生日的窩心問候，歐念偉也在蘇允靜的生日當天播通了電話……

……過去兩人之間的一切，會從這通電話開始有所不同嗎？

「妳喝酒嗎？」

「我喝……」蘇允竟不好意思地摸摸自己依然直順的長髮。「每天晚上如果不喝點酒我會睡不著。」

「為什麼？酒精中毒啊？」

「呵，如果我真的酒精中毒了，臉色會比現在更差吧。」

「我不知道，妳有化妝啊，搞不好黑眼圈都被粉蓋過去了。」歐念偉努力地想要在昏暗的光下仔細看看蘇允靜是不是真的有黑圈，卻是徒勞無功。

「別看了，我有黑眼圈，不過那跟喝酒沒有關係，我每天晚上喝的是不到十西西的白蘭地，」她揮揮手，笑著摸摸自己的臉。「這可以幫助睡眠喔。」

「這個我知道，我也喝過。」

歐念偉一聽到白蘭地，就想到了那個讓他傷心的女孩，因為她的離去，歐念偉友好常一段時間需要靠一些酒來幫助睡眠。

不喝酒，他怕自己要持續失眠的痛苦。

該不會……蘇允靜喝睡前酒的原因也是這個？

但是他沒有多問，只是保持愉快地與蘇允靜共進晚餐，談著各自的工作還有家人。九點一點，樂團上場了，他們跟著音樂打拍子，巨大的音樂聲讓歐念偉不太習慣，也不容易交談，她們就只是沉默地坐在座位上，偶爾跟對方四目相接。

隨著相視的次數跟停留時間的增加，歐念偉嗅到了許多悲傷的氣味，他感覺到蘇允靜有話想說，但是常常只是偷偷地嘆了一口氣，又把目光移回了原處。

這個陌生的女子讓歐念偉有些茫然，不是因爲黃湯下肚的關係，而是他發現到蘇允靜現在在他眼中的角度，是這麼地新鮮，認識了將近二十年，除了她的身家背景、名字、生日外，他卻到今天才感覺到全然的陌生。

「幹嘛一直看著我？」中場休息時，餐廳裡恢復了輕鬆的音樂播放，蘇允靜看著歐念偉的眼睛，單刀直入地問。

「很久沒見到妳了，趁現在有機會看清楚啊。」歐念偉很老實地說出自己的一部分想法，另一個部分卻選擇隱瞞。

會看著蘇允靜，是因爲歐念偉另一個心思是在思考著蘇允靜的感情世界。她可以說是一個明豔成熟的女子了，這些年來她經歷的生活想必是比自己豐富了許多吧？

歐念偉回想起國中、高中、大學時的蘇允靜，有著兄長看著妹妹長大的欣慰感，卻又有著莫名的心疼，她……是變得很好，但是感覺上似乎曾經付出了很大的代價。

只是……誰的成長是不用付出代價的呢？就連自己的妹妹歐念芬也是經歷了難堪的感情路才有了今日的良人相伴。

歐念偉才走過一段一年多的感情，只是『離棄』的結果讓他不敢再次輕易嘗試，徒讓家裡的老人家著急，那麼……蘇允靜呢？也二十七了吧？歐念芬在這個年紀時已經有了小寶寶，想必蘇允靜的父母也對自己女兒的婚事感到慌亂吧？

「有機會就看清楚？」蘇允靜突然地大笑，爽朗地拍了一下歐念偉的肩膀，「你喜歡看的話，隨時都會有機會的。」

當然，如果眞的想要見上蘇允靜一面，打個電話一點都不難的，但是歐念偉並不打算將來會這麼做，即使……即使他以後可能會常常想到她。

只是後來發生的事情讓歐念偉想要忘掉她都很困難了。

他以爲蘇允靜的酒量應該會很好，但是不到十一點，蘇允靜就帶著濃重的酒氣拉著自己到了舞池，跟著情緒高漲、隨著樂團起舞的群眾們加入了混戰。

的確是混戰吧，歐念偉下了這麼一個結論。他不太會跳舞，只是隨意地站在舞池中，看著蘇允靜揚著頭髮、擺動身軀、閉上了眼睛，還皺起了眉頭。

如果歐念偉從來不曾認識過蘇允靜，只怕會這麼想的吧。尤其當蘇允靜竟然開始嚎啕大哭時，她是一個痛苦又痛快的女人。

歐念偉因爲太過震驚而沒了主意。

不是沒見過女孩子哭泣，但是對象是一個他一直當作『妹妹』的女人，偏偏他又不像了解歐念芬這樣地了解她這個『妹妹』，這時候的角度，蘇允靜就只是蘇允靜，不是什麼小妹妹了。

這時候他該怎麼做？歐念偉知道自己已經來不及思考這個問題，因爲蘇允靜眼淚停不了，他如果不趕快帶走她，只怕她這個樣子會引來許多不必要的騷擾。

「妳喝太多了。」歐念偉扶著蘇允靜出了餐廳的大門，一邊勸著。

蘇允靜雖然喝醉了，但是還不到搖搖晃晃、視線模糊的地步。

「我是喝醉了，但是沒有你想像中的嚴重。」她輕輕地甩開了歐念偉的臂膀，腫著一雙果然有點黑眼圈的眼睛，看著歐念偉，「我哭，只是因爲情緒擴大了，你懂那種感覺嗎？」

情緒的擴大，也是因爲酒精……懂，歐念偉都懂，這種感覺他經歷過，怎麼會不懂？

「不要這麼折磨自己了，下一個男人會更好。像我，不也走過來了？」

歐念偉猜想應該是感情問題，從蘇允靜提到沒有人爲她過生日的黯然口氣，還有今晚的失常，他胡亂地猜測著。

「那麼你還想等下一個女人嗎？或是……你已經等到了？」蘇允靜望著天空問。

「沒有……不是因爲沒有更好的女人，而是……」歐念偉也跟著望著天空，嘆了一口氣，「我還沒好到可以讓一個女人願意停留在我的身邊。是的……我……我不夠好……」

歐念偉說完後，一臉哀傷地偏過頭看著蘇允靜。

只見蘇允靜像是被定格了的人物影像般，站得直直地，張大眼睛看著歐念偉。

接近午夜的晚風吹過，夏天就要接近尾聲了，歐念偉與蘇允靜站在餐廳的門口互相望著，沉默了好一陣子。

當蘇允靜靠了過來吻了歐念偉時，他雖然訝異，卻不去想爲什麼，只是自然而然地抱著超乎他想像的瘦削身軀，激烈地索求她。

他很久沒接吻了，最近的那一次是前女友搭機離去前，在機場的吻別，之後的每一個女孩，不管在肉體上多令他滿意跟歡愉，他都不能、也不想給一個吻。

他卻吻了蘇允靜，像是早就該發生的，卻一直沒有做，如此而已。

即使裸裎相見時，歐念偉並沒有矛盾，也不多思索，當他看著站在床邊漸漸褪下衣物的蘇允靜，只是心疼。

瘦了這麼多……這些年蘇允靜到底過著怎樣的日子？還是……這只是她成年的必然體態？跟年少時的豐腴相比，現在的蘇允靜瘦得可憐。

意料中的，蘇允靜並不是處女了，但是歐念偉卻在她的身上感受到奇異的情境。跟性愛的技巧或是姿勢無關，純粹是心理上的奇異。

這個該是永遠與自己保持兄妹、甚至進步點，維持朋友關係的女人，為什麼讓他有抓到浮木的感覺？是因為以往那太長久的熟稔記憶嗎？他猶如回到母親子宮內般的滿足，毫不避諱地在蘇允靜的耳邊說著欣喜的話語，也不會猶豫他的點點親吻該不該落在她的身上。

蘇允靜開始抽盡歐念偉的愛欲跟心思，就像她徹底地汲取了他性欲的根源。

汗水未乾，蘇允靜就掙脫了歐念偉的懷抱，臉上的表情難以讀取。

「你要先洗澡嗎？還是我先去？」她問。

「妳先去吧。」歐念偉閉上了眼睛，這時候，他竟然害羞了起來。

聽著浴室潺潺的水聲，歐念偉心滿意足地回想起今夜的種種，當然也包括了蘇允靜的點點滴滴。這時候，他完全沒有想到蘇允靜心裡會有什麼打算。

裹著浴巾出來的蘇允靜，帶著溫柔的笑。

「我沒想過……會這樣子……」

「我也沒想過，過來吧。」歐念偉理所當然地拉了蘇允靜到自己的身邊，又是一個吻，很久很久……歐念偉都不像現在這麼地滿足跟快樂。

如果可以，他想要永遠地牽著蘇允靜的手。

有什麼樣的女人會更適合自己呢？大概就是這麼一個女人吧。認識了這麼久不說，即使了解的程度還不夠，但是……十多年都過去了，多花個兩年來認識也不晚。

蘇允靜萬般溫柔地回應歐念偉的吻，卻流下了一滴眼淚。只是，歐念偉沒有看見。

當歐念偉自旅館的浴室出來後，卻發現蘇允靜已經離開了。然後他只是坐在方才激情擁抱的床上，發著呆。

這是什麼意思，抱過太多女人的歐念偉不是不知道，只是……他沒有想到蘇允靜竟然打算對自己這麼做。

也許吧……對蘇允靜來說這只是一夜激情，不過是療傷的止痛劑。她跟蘇允靜之間是兄妹，又是朋友的弔詭關係，的確是最不適合發生這樣的事情。這一切，歐念偉只能怪自己太天眞了。

果然只談過一場戀愛是不夠的，歐念偉想著。

但是他也不因此去試著談新的戀愛，那晚過後，他像是有著默契般地不再與蘇允靜聯絡。其實以前就幾乎不聯絡了，目前的狀況也不過就像是回到了以前那些日子。

他依然努力工作，不，該說是更加努力，因爲他要想辦法擺脫掉蘇允靜的影子。只有過一夜情緣的女人，沒想到會比一個交往過的女友還要難以忘記，甚至完全地取代了，歐念偉把這樣的現象歸咎於，他跟蘇允靜認識太久了，將近二十年的相識，一旦有了變味的行爲出現，就是更深、更痛的烙印。

我是這麼地痛苦，那麼蘇允靜呢？歐念偉有時出了神，想的就是這個問題。

斷絕聯絡後一個月，蘇允靜竟然出現在網路的聯絡清單上，這讓歐念偉又驚又喜。

「妳好嗎？」這是歐念偉首次送出的訊息。

此後，在辦公室的歐念偉有了新的目的出現，就是與蘇允靜進行網路對話。

他們絕口不提那天晚上的激情，歐念偉只覺得提出來後只是讓他們都難堪吧，更可怕的是，他無法想像好不容易出現的蘇允靜會有什麼反應跟做法。

她會不會跟那一天晚上一樣，突然也從網路上消失了呢？這是歐念偉擔心的。

在網路上保持著兄妹的關係，有時候也會打情罵俏起來，而有著戀人錯覺。但是歐念偉很清楚，這不算什麼。對他們彼此來說，這不過是網際上的言語調情，沒有任何的意義。

「我媽一直要我去相親。」

一天，蘇允靜打出這樣的訊息在網路上，歐念偉愣了好一陣子才想好自己該怎麼回答。

「如果妳不排斥的話，妳可以去看看，也許對方是個不錯的人。」

說是這樣說，但是歐念偉並不希望蘇允靜眞的去相親，但是因爲那一夜蘇允靜的離去，讓歐念偉對自己沒了信心。

讓喜歡的女孩可以獲得該有的幸福，才是最好的祝福吧。就像前女友的負笈他鄉一樣，他也該給予最眞誠的祝福。

「問題是我很排斥啊。」蘇允靜的回答讓歐念偉不知道該怎麼接續。

「我也想自己找到能夠相許相愛一生的人，也許是我失敗太多次了，所以我媽媽決定讓我去相親……」蘇允靜的言詞裡透露了許多的無奈。「我還是想要戀愛，由此找到可以相守一生的人。」

歐念偉沒有回應了，一句都沒有，只因爲他眞的不曉得該怎麼用此等不單純的心情去應對，最好的辦法就是先逃避吧。

不知道是不是心靈上的感應，說完這些話的蘇允靜過了十分鐘後，也自網路上的名單上消失。

過了一個週末後，歐念偉才又在殷殷期盼中，見到蘇允靜的帳號在網路上出現。

「要不要試著跟我談個戀愛？」蘇允靜不打招呼、不寒喧，一劈頭就是這句話。

啥？歐念偉不敢相信自己看到了什麼。

望著網路上出現的訊息，歐念偉差一點把剛剛泡好的咖啡噴上了電腦螢幕。他放下了杯子，快速地回應訊息，兩人來回交談了幾句。

懷著難以形容的複雜心情，歐念偉根本還搞不清楚狀況，正想繼續追問時，沒想到蘇允靜已經從名單上消失，她下線了。

接下來的幾天，歐念偉一直沒有在名單上看到蘇允靜，卻也提不起勇氣打電話給她。電話……

是這麼方便的東西啊，但是他卻怎麼都沒有辦法擺脫網路上的遐思與面具來與蘇允靜對話。

在慌亂與茫然中，歐念偉又開始失眠了。

是因爲她被逼著去相親了嗎？所以要找個可以談戀愛的人來擺脫？不……蘇允靜不是這樣的人，歐念偉很清楚她跟自己是一樣的，不願意的事情，連家人都是沒法子左右的。

當然，他巴不得蘇允靜是眞的想跟自己戀愛，但是在她搞清楚她的動機前，他不願意在被蘇允靜傷害過後的今天，再度冒險。

歐念偉的確是被蘇允靜傷害了，她激情過後的無聲離去、事後又若無其事地暢聊……不，無論如何，歐念偉都覺得自己只是一日日地被傷害著，除非蘇允靜眞實地說出她也眷戀著自己的那一天到來，否則他無法擺脫被傷害的感受。

日子一天天過去，直到農曆年的前幾天，在回家幫忙的時候，歐念偉見到了蘇允靜。

她變得更加美麗不可方物，即使她只是穿著簡單的運動上衣跟牛仔褲，綁起了馬尾，臉上不施脂粉，歐念偉還是感到動容。

蘇允靜見到了歐念偉，只是笑了笑，道了聲好。

他緩緩地走到蘇允靜的面前，什麼也不多說，傻傻地點了點頭，跟蘇媽媽微笑寒暄，就離開了。

蘇允靜會怎麼想已經不重要了，重要的是，歐念偉確定了自己的心思。

再也……不要戀愛了。

他認爲自己已經失去了前女友，又接著失去了蘇允靜，失去前女友還沒那麼可怕，失去了蘇允靜卻讓歐念偉萬念俱灰。

他不知道爲什麼，見到蘇允靜的那一瞬間，他就覺得自己該徹底地放棄了。

過了年，歐念偉就三十一歲了，這個年紀的男人該有什麼想望？除了家庭，就是事業吧，但是就家庭這一檔事，歐念偉全然失去了信心。

談過一次戀愛，這一次連戀愛都沒談成就消失了蹤影，糟糕的是，對象還是青梅竹馬的小妹。這更是難堪。

站在市集外的停車場，歐念偉抽著菸，藉著抽菸，他想重重地嘆上幾口氣。

「你抽菸？早說嘛。」一陣熟悉的聲音響起，歐念偉回過頭，是蘇允靜。

「妳也抽菸？」他驚訝地看著蘇允靜自動地從他口袋裡掏出了菸跟打火機，點上一根菸，煙霧繚繞裡，歐念偉彷彿又回到了煙霧瀰漫的那個餐廳、那個夜晚。

「我抽，但是前些日子戒了。」她熟練地吐出一口菸，閉上眼睛。

「爲什麼要戒？」

過了好久，蘇允靜才回答這個問題。

「因爲我想結婚了，所以該戒菸的。」她笑著看了歐念偉一眼。

是相親的對象嗎？一想到這裡，歐念偉的臉更臭了。

「會讓妳想嫁的人應該是很不錯。」他語氣酸溜地表示。

「嗯，是很不錯。」當蘇允靜這麼說時，歐念偉不知道自己該好好恭喜她，還是要表現出顯明的忌妒。

「那恭喜妳了。」

「有什麼好恭喜的？」蘇允靜抽菸抽到一半，就丟下了菸頭，「那個人不想跟我談戀愛啊，不談戀愛，那談結婚不過是笑話吧？」

歐念偉愣了愣，看著轉過頭去的蘇允靜，有點迷惑。

「你記得我跟你說過嗎？我還是想要戀愛，由此找到可以相守一生的人。」蘇允靜眼角發了亮光，「若要我步入婚姻，就一定要先有戀愛這一關……不是嗎？」

「我也是這樣的人啊……」歐念偉像是夢囈般地說出口。

的確，他們都是一樣的，不戀愛，就沒有辦法結婚。

「我知道你是這樣的人，所以當你不對我有所回應時，我自然也就懂了。」蘇允靜尷尬地對歐念偉笑了笑，「就是這樣了……小哥，時間不早了，謝謝你的菸，我們該回去做生意了。」

「不……這樣太快了，我……我只是來不及反應。」歐念偉想要這麼對蘇允靜嘶喊，卻卡住了喉嚨。

「噢，對了，小哥，我一定要告訴你，」也許是因為走到了絕望的地步，蘇允靜豁了出去，「我一直都很喜歡你，即使你說自己不夠好……」蘇允靜垂下了眼睛，「但是你知道嗎？就是因為我挑剔那些男人沒有你的好，所以我才會一直失敗的。」

說完，蘇允靜轉過身去，在歐念偉的訝異眼光下離開了停車場。

因為太訝異了，以至於歐念偉不敢相信這是真的，所以他怎麼都喊不出聲。

說出那樣的話，「要不要跟我談個戀愛？」對蘇允靜來說是多大的賭注，歐念偉從來沒想過，他只考慮到自己是否能夠承受感情上的再度創傷，而懼於付出……進而間接傷害了蘇允靜的心意。

這時歐念偉也才發現，自從機場的那一場離別後，他竟然變得如此地被動，以至於傷害了自己親愛的小妹、微妙情誼的朋友、心儀的女人……

當蘇允靜眞的離開了他的視線後，又要再度地回到『兄妹以上，卻戀人未滿』的尷尬關係嗎？不……那實在是太痛苦，這些日子以來，他被動得夠久了，是該主動的時候了。

歐念偉跟著蘇允靜的腳步回到了蘇媽媽跟蘇爸爸的面前，只見到兩個老人家一臉不明究裡。見到父母臉色怪異的蘇允靜從方才的心傷中回過神來，發現歐念偉就站在自己身後。

「小……小哥你？」蘇允靜驚慌地看著他。

歐念偉只是一把按著蘇允靜的肩膀，丹田有力地對蘇家老人作出了請求，也算是對蘇允靜作了遲來的回答。

「我……我喜歡允靜，可以請你們把她交給我，讓她跟我談戀愛嗎？」

蘇爸爸跟蘇媽媽許久都說不出話來，只是看著蘇允靜跟歐念偉，一臉驚愕，但是沒多久，隨即就轉化成了欣喜的臉色。

蘇允靜連頭都不趕回，只是楞在原地小聲地質疑。

「小哥你……你吃錯藥嗎？」

「如果我吃錯藥，大概也吃了十多年吧……」歐念偉悄悄地捏了捏蘇允靜的肩膀，「最近吃的計量比較重就是……」

好好談個戀愛，就算是吃錯藥，吃上一輩子，也是無所謂的。歐念偉想著。

總之，再也不要維持著『兄妹以上、戀人未滿』的尷尬場面了。

網路笑話

開戶

一個粗漢跑進銀行，跟櫃台小姐說：我要開他媽的戶頭！

櫃台小姐：沒問題，先生。不過你不需要用這種口氣……

粗漢：ㄟ，妳動作快點好不好？趕快幫我弄好這該死的戶頭，我趕時間……

櫃台小姐：先生，我不習慣別人用這種口氣……

粗漢：ㄟ，別浪費我的時間，妳快點幫我弄個他媽的戶頭行不行……

櫃台小姐：抱歉，先生，我想我該請我們經理出來……

這時櫃台小姐跑進經理室向經理告狀。一會兒，經理安慰著小姐後出來和這位粗漢理論說：

看來這裡出了些麻煩，您可不可以跟我說，到底發生了什麼事呢？

粗漢：我只想弄個他媽的戶頭，存我剛贏的他媽的一億元樂透彩金，行不行？

經理：我明白了……（經理指著櫃台小姐）真是抱歉。

這個賤貨……給你添麻煩了？

星座魔法師 薇薇安 簡介

精闢的星座解讀，尤其擅長愛情與人際EQ之剖析，見解獨到，幽默風趣。目前為中視『非常男女』、ET Jacky『魔法占卜學園』星座專家，著有《薇薇安星座愛情》、《薇薇安愛情急診室》、《火向星座紅皮書》、《土向星座黃皮書》等書。

【1月星座運勢】

巨蟹座 Cancer

06・23＊07・22

天天好星情 對你來說，不想再侷限在兩人世界的想法益發強烈，你對朋友的需求大過於情人。自我前途的認知將是與另一半相處的關鍵，並須注意情緒管理，這會是影響感情是否有良好結果的主因。

事業方面，要特別留意與自己相關的人事物，而非只是靠著熱情在做事而已。金錢上，如果自己的頭腦夠清楚，才能在理財時發揮效益。

甜蜜蜜指數★★★
超人氣指數★★★
賺大錢指數★★★

白羊座 Aries

03・23＊04・22

天天好星情 感情生活對你來說，有著許多隱藏的危機，尤其當你想要為愛放棄一切時，更需要深思熟慮。要學會體諒與情人相處不可能盡如人意，別再自欺欺人，唯有體認到感情的現實面，破除既有的相處模式，才能突破瓶頸，愛情才能正向發展。

對於有意在事業上有所進展的你來說，將會有實質上的收穫，你的物質生活將有提升。不過要留意金錢的流向，否則恐怕再怎麼努力，存款還是會沒什麼長進喔！

甜蜜蜜指數★★
超人氣指數★★
賺大錢指數★★

獅子座 Leo

07・23＊08・22

天天好星情 已經有伴侶的人，必須了解另一半的感受，過度的自我壓抑，將會錯失感情提升的大好機會。如何改善兩人的精神生活，是重要的課題。還沒有伴侶的人，逃避問題是阻礙幸福的最大殺手。

面對自身事業版圖的擴張，你如果想要有其它的可能，就必須力求突破。你在本月需要的是一個穩定的工作，此時不宜有太過度的轉變，不過要注意與同事之間的關係，這將是事業上的變數。

甜蜜蜜指數★★
超人氣指數★★
賺大錢指數★★★

金牛座 Taurus

04・23＊05・22

天天好星情 感情上更能追求自我的想法，兩人相處狀況往往是感情發展的關鍵。已經有伴侶的人，尤其是對已經有子女的人而言，家庭問題需要更有耐心來經營處理與面對。單身的你，首重自我反省與成長，經由愛情所建立的關係，將擴展你的交友領域。

在事業上正處奮發向上的你，切記明哲保身，最好能維持立場中立，以免讓自己失足墜馬。已經握有權力的人要積極表現，並要有具體的功績，才有助於發展。

甜蜜蜜指數★★
超人氣指數★★
賺大錢指數★★

處女座 Virgo

08・23＊09・22

天天好星情 有伴侶的人，要了解自己在感情生活裡的狀態，從先前搖擺不定到逐漸願意投入，學著勇敢面對。單身的人，要小心別過度放縱自己而影響到健康與生活步調。

事業上，如果你所做的是與人際關係有關的工作，心裡想做的，都可以有所發揮，將可達到事半功倍的成績。但要特別注意三思而後行，不要忘了身旁一些可靠的人的意見。轉換心態工作，會帶給你極為不同的感受，革新有助於帶來事業的另一個轉捩點。

甜蜜蜜指數★★
超人氣指數★★★
賺大錢指數★

雙子座 Gemini

05・23＊06・22

天天好星情 在感情世界裡來來回回的你，將更懂得注重自己內心的感受。已經有伴侶的人，愛情如果遇到問題，請主動表示善意並找到真正的原因。還是單身的人，尋找生活樂趣的同時，最好能確認所要追尋的目標。

按部就班地理財是致富的良策。只要是有計畫的合理投資，都能有效地回收，偏財運偶爾會出現。事業上想有所作為，第一要務就是集中火力，掌握得宜，會有貴人適時提供協助。

甜蜜蜜指數★★
超人氣指數★
賺大錢指數★★

天天好星情 不要讓自己的情緒一直對焦在某些事情上，心態上保持樂觀，對感情才有正面的助益。有伴侶的你，和另一半的相處在精神上更能互相扶持；仍單身的你，可以有不錯的機會。
事業上，越能保持鎮靜，越能輕鬆面對。有出國繼續進修或工作計畫的人，將可成行。運勢起起落落，越能夠調整自我、不受影響的人，越可以在挫折當中學習，身旁有貴人，不過也要懂得用心經營人脈。

甜蜜蜜指數★★
超人氣指數★
賺大錢指數★★

魔羯座
Copricorn 12・23＊01・22

天天好星情 對於已經有伴侶的你來說，要多放一些時間和心力在與另一半的相處上。至於單身的人，如果想要在愛情上有所收穫，必須要多費一些心神了，尤其對有成家壓力的你而言，漸漸感受到愛情加諸在身上的沉重。
努力賺錢時，切記要讓自己有個健康的身體。職場上想要有所進展的人，要有等待的心理準備，尤其在大環境並不是那麼好的情況下，更要有做長期投資的打算。

甜蜜蜜指數★★★
超人氣指數★★
賺大錢指數★★★

天秤座
Libra 09・23＊10・22

天天好星情 已經有伴侶的人，往往不希望感情上的問題變成事業上分心的麻煩；所以要讓工作不受到影響，你應該加倍心思在鞏固事業、安定感情生活上，讓生活沒有後顧之憂。單身的人，要能夠先讓自己在事業上有所進展，物質生活好時，才去實現愛情上的成就。
設定目標是重要的課題，目標越確定越能達到理想。機會不虞匱乏，不過要懂得選擇，小心不要被排得滿滿的工作給淹沒了，要持續充電才能讓自己有所成長。

甜蜜蜜指數★★
超人氣指數★★
賺大錢指數★

水瓶座
Aquarius 01・23＊02・22

天天好星情 愛情光是用腦袋瓜去想而不行動，是不會有任何幫助的。已經有伴侶的人，與另一半在經營感情上，要多注意長久以來一直存在卻沒有解決的問題，那會是影響兩人感情生活的地雷。還沒有伴侶的人，機會可說不少，多去參加一些社交活動，除了感情也將有助於事業，讓你更有信心去打造屬於自己的理想版圖。要懂得活用資源，創建出發展上的先後順序，在收放之間拿捏得宜才能夠成功。

甜蜜蜜指數★★
超人氣指數★★★
賺大錢指數★★

天蠍座
Scorpio 10・23＊11・22

天天好星情 有伴侶的人，與另一半相處可說是自在暢意，尤其當與另一半達成協議之後，相處情形會進入狀況。單身的人，需要用更沉穩的態度來面對感情，越能正視自己、了解自己，知道如何來經營愛情，越能贏得對方的尊重。
工作上的人脈，將有助於你面對事業的挑戰。可以藉由理財提升在事業發展所需資金。除了自己的事業外，若有意朝其他方面發展投資，將有不錯的收獲。

甜蜜蜜指數★★★
超人氣指數★★
賺大錢指數★★

雙魚座
Pisces 02・23＊03・22

天天好星情 對於已經有伴侶的人來說，將更主動地與另一半感受喜怒哀樂，也懂得更主動地和對方訴說自己的心事與想法。還沒有伴侶的人，可以更開放的態度來面對交友，能帶動人際網路的擴張。想要與對方有更進一步的發展，請先做好心理上的調適，才不會因愛情而受到限制。
職場人際關係將是工作效能能否提升的重要環節，想要在職場上更得心應手，就不能忽略人的問題，以免因為低估對手，而讓別人趁虛而入搶了你的風采。
甜蜜蜜指數★★★
超人氣指數★
賺大錢指數★★★

射手座
Sagittarius 11・23＊12・22

justgold讓童年記憶在今天重現

還記得小時候當紙燈籠還是插紅色蠟燭的年代嗎？今年justgold以「中國童玩」爲主題，將實物縮小或是把概念延伸發展成各式童年玩具，將每一個人藏在心裡角落的童年記憶。

像是小時候總會聽到阿公穿著木屐在家裡走動的聲音，justgold的「木屐」鍊墜以栩栩如生的造型讓大家重溫懷舊心情；或是兒時童玩「手搖鼓」，小朋友總是喜歡讓它在手中轉動著發出咚咚聲響，justgold將它縮小成型，並以紅色琉璃作成鼓面，更爲討喜可愛；justgold還推出芭蕾舞鞋、毽子、爆竹、風箏、風車、三輪車等各式童年玩具，用精巧的金飾爲大家記憶童年時光。

在中國羊年即將到來之際，justgold推出羊年生肖金飾系列。運用巧思將「綿羊」圓滾滾的身體，活潑靈巧的做成手鍊及鍊墜；以及「羚羊」雙面鍊墜飾以不同的精緻刻紋，可以雙面佩戴，更有意義。

羊來了！Kiss Gold Young Gold陪妳戴上開運羊，好事一籮筐！

奧菲在十二月推出「聖誕狂想嘉年華」Kiss Gold今年創意無限，以擬人化的可愛造型展現小羊的溫馨熱情，如：戴著Z字符號的「愛睏羊」、拖著毛線球的「毛球羊」、心中有愛的「愛心羊」等，各種造型不同的羊齊聚一堂，爲羊年帶來更多的歡樂。

爲了擄獲年輕族群的青睞，Kiss Gold「羊來了」系列中，有許多Y字鍊輕盈的款式；主力墜飾中多爲輕巧小品，售價約在NT$2,000~NT$2500間；其中開運羊系列採用極特別的立體全羊造型，圓圓滿滿的小羊綴在頸間，讓你大力大發一整年。

Kiss Gold除了喜氣洋溢的粉色心型包裝盒、大紅提袋外，亦爲羊年報到的寶寶特別準備了Baby's Gold系列全套金飾&禮盒，禮盒裡有日本最in的小羊餵乳枕與小羊鈴，配上粉嫩的禮盒與小羊提袋，充分展現了寶寶世界的純眞幸福。

2003羊的年，Kiss Gold要讓每隻羊完美表達新生的喜悅與祝福，給你最眞心的獻禮！

訂購專線：(02)2731-8689

LANVIN PARIS

世界名牌浪凡（LANVIN）繼2002秋冬服裝發表會之後，即將於10月底正式在台推出OXYGENE悠氧香水系列。這是LANVIN首次在台正式銷售其香水系列產品，展現出LANVIN全面開發台灣精品市場的決心。

LANVIN在ARPEGE之後，陸續推出多款受歡迎的香水像Scandal、Rumeur和Pretexte等，以及這次將在台上市的OXYGENE悠氧系列香水。Lanvin Oxygene是Lanvin重新詮釋新世紀的香水作品，洋溢著現代都會簡潔清新及渴望自我解放的動力風格。

在OXYGENE女性香水中強調的是在緊迫、令人窒息的世界中，賦予純淨自由的氣息，位生命注入新的動力，在呼吸之間獲得全然紓解與和諧，香氛性感柔和而甜美，花香環繞著木香的釋放方式，傳遞著愉悅與新生的歡樂。

甩開油頭　去除頭皮屑
頭皮保養專家海倫仙度絲
創新推出「檸檬草」配方洗髮精

市場第一瓶針對油性頭皮　抗屑去油，富含草本天然成分之洗髮精貼心誕生

檸檬草廣告代言人、明造型師鄭建國表示，現代人生活作息不規則、熬夜、精神壓力大、喜歡食用刺激性飲食等，容易造成頭皮出油的現象，油性頭皮多半會伴隨頭皮屑的產生；而根據自然醫學園區鄭孝威醫師指出，檸檬草又稱「檸檬香茅」，它所含的天然元素—檸檬醛，能益助肌膚保養、達到平衡油脂分泌、改善出油狀況、收斂毛孔、促進血液循環等效果；檸檬香氣還可放鬆壓力、舒緩心靈。

海倫仙度絲還舉辦「尋找檸檬草情人」網路票選活動，包括：王力宏、李威、費翔、周渝民、言承旭、吳彥祖、陶吉吉、任賢齊、許志安。活動從十二月一日起至一月十五日止，可至www.hns.com.tw進行投票。還有機會獲得發燒新品—檸檬草100ml洗髮精一罐！

我要參加小說族新人賞：)

「小說族新人賞」 活動參選 報名表

真實姓名	
聯絡方式	
E-mail	
電話	（日）（　） （夜）（　）
手機	
傳真	
地址	
參選篇數	
參選筆名	
參選篇名	
個人簡介（500字內）	

參選文章大綱（1000字內）

◎ 參選小說請附於報名表後（手寫稿及電子稿皆接受）。

◎ 如需退稿，請附上回郵信封及郵資。

◎ 參選時間自即日起至2003年2月28日止，以郵戳為憑。一律採「通訊報名」。

◎ 備齊參選文件寄至：台北市內湖區114新明路174巷15號10樓
「希代書版集團　小說族新人賞評選組　收」

◎ 獲選名單將於2003年3月30日公佈於希代書版集團網站。

◎ 未入選者恕不再另行通知，如需退件，請自備信封及回郵。

◎ 參選者請參考本表格式來函，亦可放大填寫。

小說族的編輯們要向您說：

暫時再會了！

親愛的小說族讀者們，

很感謝所有讀者朋友們14年來

對小說族的支持與愛護，

期待在未來，能很快地再與您相見！

新人賞活動：請上http://www.sitak.com.tw/fsm/newstart/newstart.htm

訂戶查詢相關辦法：

請來電　讀者服務部劉小姐：(02)2791-1197轉分機258

或來信　讀者服務部信箱：readers@sitak.com.tw

姓名	性別	學歷	年齡	職業
E-MAIL			電話	
地址				

您對本期小說族的：

1.整體感受： □很喜歡 □喜歡 □還好 □不喜歡 □很不喜歡

2.FOCUS小說單元： □很喜歡 □喜歡 □還好 □不喜歡 □很不喜歡

3.最喜歡本期小說族FOCUS小說的哪一篇文章？＿＿＿＿＿＿

4.作家鮮活區單元： □很喜歡 □喜歡 □還好 □不喜歡 □很不喜歡

5.最喜歡本期小說族作家鮮活區小說的哪一篇文章？＿＿＿＿＿＿

6.小說盛宴單元： □很喜歡 □喜歡 □還好 □不喜歡 □很不喜歡

7.最喜歡本期小說族小說盛宴的哪一篇文章？＿＿＿＿＿＿

8.掌上小說單元： □很喜歡 □喜歡 □還好 □不喜歡 □很不喜歡

9.飲料愛情小說單元： □很喜歡 □喜歡 □還好 □不喜歡 □很不喜歡

10.超導體小說單元： □很喜歡 □喜歡 □還好 □不喜歡 □很不喜歡

11.最喜歡本期小說族超導體小說的哪一篇文章？＿＿＿＿＿＿

12.元氣小說單元： □很喜歡 □喜歡 □還好 □不喜歡 □很不喜歡

13.購買本期小說族的地點：□連鎖書店 □傳統書店 □便利商店 □訂戶 □其他

14.為何購買小說族？ □喜歡看小說 □星星的故事 □喜歡歌手 □習慣之一 □喜歡贈品 □喜歡心情發報台 □其他＿＿

15.本期您最喜歡的作品是：＿＿＿＿＿＿

16.本期您最喜歡的作家是：＿＿＿＿＿＿

讀者留言版

希望獲得本期哪些贈品？

第一順位＿＿＿＿＿＿

第二順位＿＿＿＿＿＿

第三順位＿＿＿＿＿＿

第四順位＿＿＿＿＿＿

第五順位＿＿＿＿＿＿

＊ 你們的互動是我們大步大步走的動力！有求必應是我們努力的目標！大聲說出你最想追求、最想要的吧！趕緊上網http://www.sitak.com.tw/fsm/now/01.htm快速超連結，我們正在網海的這一端等你唷！

＊凡於91年1月15日前將回函填好並寄回者，就有機會收到粉棒的小禮物喔！

廣告回信
臺灣北區郵政管理局
北臺字第2888號
免貼郵票

114
台北市內湖區
新明路一七四巷十五號十樓

小說族雜誌社　收